なっとくする数学記号

π、e、iから**偏微分**まで

黒木哲徳　著

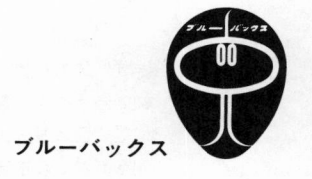

ブルーバックス

図版／さくら工芸社
本文イラスト／山田直子
本文デザイン／齋藤ひろの
装幀／芦澤泰偉・児崎雅淑

本書は 2001 年 9 月、小社より刊行した
『なっとくする統計解析』を
改訂し、新書化したものです。

はじめに

21世紀の今日，真に高度な知識を必要とする仕事と単純労働的な仕事との二極化が進みつつある。特に後者は遅かれ早かれ，AI（人工知能）の開発によってロボットにとって代わられるという。となると間違いなく，数学を避けて通るわけにはいかなくなる。なぜなら，高度の知識には何らかの形で数学や数学的な考え方が組み込まれているからである。

ところが数学はその抽象性ゆえに記号が数多く登場するため，どうしても難しく感じられてしまう。とりわけ，高度になればなるほど記号を使うことが多くなる。

そもそも数学の記号は，人類が長い歴史を通してよりやさしく，より操作がしやすく，より多くの問題に対応できるようにと，工夫に工夫を重ねてきた結果である。

一方では，そのような記号化によって数学が数学者の手から離れ，一般人の手に届くようになった。記号の使用と発展は，いわば知的平等化といえる。

今の時代は，記号の海の中にどっぷり浸かり，それを避けては通れない。いくぶん記号化に慣れている私たちは，ほんの少しの努力で数学を理解するのも決して難しいことではない。もう少しだけ熱心に耳を傾ければよいのである。

本書は数学記号を通して，小学校の算数から大学の微分積分までを解説した本である。原則的に，一つ一つの項目は読み切りであるが，内容の程度はまちまちである。ある項目は寝ころびながら読むことができるが，ある項目は紙と鉛筆を必要とするかもしれない。とはいえ，なるべく数式を使わずにやさしく説明するということを心がけた。そのため数学的

な厳密性は犠牲にしてある。もちろん，どうしても専門知識や数式を避けることができなかった項目もある。また，繰り返しの説明もある。

この本が，もう一度数学を勉強してみたい，もっと数学をわかりたいと思っている方のための水先案内になれば幸いである。また，生涯学習の時代を迎えて，いままでとは違った切り口から数学に触れることで，さらなる数学への興味を持っていただくことになれば，これ以上の喜びはない。

高校生にはいま学習している先にある数学を覗き見る魔法の鏡として，大学生には現在の勉強のオタスケマンとして，一般社会人の方々には数学への興味と理解をさらに深めていただくための虎の巻として，手にとって読んでいただけるとうれしい。

全体を通して，すでによく知られた内容を，記号という観点からよりやさしく，より興味を持っていただけるように多少の彩りと味付けの工夫をしたつもりである。

原著は講談社サイエンティフィクの大塚記央さんの企画によるものである。彼の多大な協力がなければ完成しなかった。そして今回，ブルーバックス新書化にあたり，編集部の須藤寿美子さんに多大なご尽力をいただいたことに感謝するとともに，前書の挿絵の使用を高塚（現・山田）直子さんにご承諾いただいたことを申し添える。さらに幅広い読者へと届き，皆様への快い贈り物となればこの上ない幸いである。

2021 年 2 月吉日　黒木哲徳

なっとくする数学記号 ● もくじ

はじめに 3

第 I 部 小学校, 中学校, 高校で習ったあの数学記号の意味

第II部 大学で学ぶ 教養としての数学

第III部 ハイレベルの数学 〜偏微分も記号で理解

第 **I** 部

小学校，中学校，高校で習ったあの数学記号の意味

＋，－

－（－1）はなぜ1か

　古代中国では，⊥，⊤と書いたようである。ただの画鋲（がびょう）にしか見えなくもない。

　＋，－の記号を初めて用いたのは，ドイツのヨハネス・ウィッドマンであり，彼が1489年に出版した『全商業のための機敏にして親切な計算』という本の中で登場する。もともとは，足す，引くという「演算記号」としてではなく，プラス1，マイナス2というような「過不足を表す記号」として用いられていた。

　このように＋，－の記号は，二つの意味に用いられる。一つは，＋7の＋，－8の－のように数の正負を示す符号としてであり，もう一つは，計算をするための記号（演算記号）としてである。

　2＋3の場合の＋は，
「2と3を足せ」
という演算の記号であり，9－5の場合の－は，
「9から5を引け」
という演算の記号である。したがって，2－5＝－3のように左側の－は演算記号であるのに対し，右側の－は符号，ということが起きる。

　また，正の数の場合は＋はほとんど省略され，＋7をたん

に 7 と書くことのほうが多く, 2+5＝+7 とは書かない。そもそも数学は, "Simple is best" を旨とする考え方であるから, 混乱のない限りどんどん省略してしまう。正の数と負の数の区別さえはっきりすればいいのだから, 負の数の記号である － を書くことにすれば, ＋ はいちいち書く必要はない。

よく申請書類などで「男, 女」のどちらかを○で囲むようになっているが, 印刷の節約からいえば, どちらか一方を印刷して, 自分の性と違えば × をつければ済むことである。ただ, どちらを省略するのかとなると, きっと侃侃諤諤の議論になるであろうから, この場合は単純を旨としない方が賢明である。

もちろん, 2+3 を 23 と書くと「二十三」と間違えるから, 演算記号の ＋, － は省略できない。また, － という記号は縦棒を書けば簡単に ＋ に変身するので要注意である。採点で 5 点引いたつもりの －5 が, いつの間にか +5 に変身し,
「先生, 5 点足りません」
なんていう生徒が出てこないとも限らない。もっとも, これくらいの知恵が働けば 5 点あげてもいい。

さて, 正負の符号である ＋, － は, 符号自体が演算的に使われることもある (操作的というべきかもしれない)。

数直線を思い浮かべてみると (温度計を横にする), 0 を基準に右側が正の数, 左側が負の数 (氷点下) となっている。0 を基準にして正の数と負の数が反対の位置にあることが重要である。つまり, 5 という数に対して +5 というように, ＋ の符号をつけるときはもともとの 5 であり, －5 とすると 0 を基準にして 5 と反対の向きにある。したがって, ＋－ の符号をつけることを「向き」という見方で考えると, ＋ とい

うのは，つけても向きは変わらない符号であり，− はつけると向きが反対になる符号なのである。というわけで，−(−5) は +5 になり，+(−5) は −5 になるのである。

中学校までになじみのある数の世界は実数と呼ばれるものである。実数は英語で real number というので，実数の全体を R という記号で表すことが多い。

二つの実数 a, b に対して，足し算 $a+b$ を考えることができて，その結果も実数になるのはよくご存知だろう。しかし，数学では厳密にそれを定義するのが常である。

足し算は次のような性質を持つものとして定義される。

(1) 交換ができること

 $a+b = b+a$（交換法則という）

(2) 三つ以上のものを足す場合に，足す順序によらないこと

 $a+(b+c) = (a+b)+c$（結合法則という）

(3) ゼロと呼ばれる特別な数 0 があること
 ゼロとは次のようなことが成り立つ数のことである。

 どんな実数 a に対しても $a+0 = a$

(4) 方程式 $x+a=0$ を満たす数 x が必ずあること
 これは，$x=-a$ のことであり，これを足し算 + に関する a の逆数という。この場合の − は負数の符号である。

上に示したような性質を持つ数は「演算 + に関して閉じている」といわれる。そして，このような性質を持つ数の集

まりを群（group）と呼ぶ。実数は加法（足し算）に関して群になるという。

　演算としての － は方程式 $z+a=b$ を満たす z を求める演算，すなわち足し算の逆演算として定義される。$z=b+(-a)$ となる z を $b-a$ と書き，新しい演算「引き算」を導入するのである。

　このように足し算と引き算が自由自在に行えることを保証している構造が，群と呼ばれる構造なのである。この意味で数学は構造の学問ともいえる。

　自然数の全体では足し算，引き算が自由に行えないので（負の数がないから），演算（＋）に関して不完全な構造になっている。つまり，小学校の計算のほうが中学校より不自由だということである。数学は，概念把握を必要とするので，学年が上がるほど，発達に合わせて自由度が増し，その結果，中学校よりは高校のほうが使える数学的道具も多くなるのだ。

Column　　　　　　　　　　　　　　計算親方

　ヨハネス・ウィッドマン（1469〜1496）は，計算親方と呼ばれる専門職の優れた一人であった。15 世紀のドイツは，ハンザ同盟による商工業の発展にともなって，商業算術が盛んになり，計算親方という専門職が誕生した。ハンザ同盟は商工業者の師弟を教育するために計算学校を設立し，計算親方を招いて講義させた。当時の寺院学校や普通学校は実用算術を教えていなかった。計算親方はギルド（組合）を作ってこの職業（！）を独占し，その後 300 年にわたって，普通学校で算術を教えることに反対しつづけたという。

×，÷

0.999…は悶々としている

　× は掛け算の記号で，÷ は割り算の記号である。双方ともよく見慣れた演算の記号であろう。

　÷ は × の逆の演算であり，× は ÷ の逆の演算である。

　つまり，6 を 2 で割っても 2 を掛ければ 6 に戻る。式で書けば，6÷2＝3，3×2＝6，または (6÷2)×2＝6 である。同様に，2 に 3 を掛けても 3 で割れば 2 に戻る。同じく式で書けば，(2×3)÷3＝2 ということである。

　× が最初に使われたのは，1618 年にイギリスのエドワード・ライトが対数 (log) の発明者のイギリスのネイピアの注釈本を出したときである。このときは，大文字の X（エックス）が使われたが，1631 年に出版されたイギリスのオートレッドの著書『数学の鍵』の中で，今日の × が初めて使われた。ドイツのライプニッツは，「私は乗法の記号として × を好まない。それは容易に X（エックス）と混同するからである」と述べて，・により積を示すとしている。割り算 ÷ の記号は，一時は引き算の記号としても使われたこともある。フランスでは，現在も ÷ は用いずにライプニッツが愛用した「：」を使っている。

　記号の導入とは関係なく，掛け算や割り算そのものは古くから行われていた。

　日本では万葉の時代にはすでに九九が中国から伝わっており，宮廷の子女の教育に用いられた平安期の教科書『口遊』の中にある。当時の歌の中で，三五月と書いて「もちづき（望月，満月のこと）」と読ませるなど，三×五＝十五夜の月（満月）をもじったものがある。歌にそれとなく気持ちを読み込んで愛を表現した千年以上も前の時代には，このようなハイセンスを必要としたのである。

　数学は演算なしには考えられないともいえるが，特に演算の構造を扱う分野を代数学という。

　数学では，演算を考える際には必ず，「もとに戻す」という逆の演算を考えるのが普通である。それは計算を自由自在に行うためであり，＋と－もその関係にある。

　＋と－の章で述べたのと同じように，実数では掛け算やその逆の演算である割り算が自由自在に行える構造になっている（もちろん，割り算は 0 を除いておく必要がある）。つまり，実数は掛け算に関しても群という構造を持っているということである。

　×の逆である演算 ÷ は，方程式 $z \times a = b$ の解 z を求める演算として定義される。つまり，a の逆数 $1/a$ を考え，$z = b \times (1/a)$ として z が定まる。このような z を b/a（または $b \div a$）と書いて，「商」と呼び，新しい演算「割り算」を導入するのである。

　割り算は掛け算の逆として導入したが，1 を 3 で割ると，

$$1 \div 3 = 0.333\cdots$$

となり，これに 3 を掛けてみると，

$$0.333 \times 3 = 0.999\cdots$$

となる。1 に戻っていないじゃないか，と不思議に思うかもしれない。実はこれは ×，÷ という演算のせいではなく，数の表記の方法に問題があるのだ。

そもそも数の表記の仕方は二通りある。1 は 0.999… のことであり，1.5 は 1.4999… のことなのである。つまり無限小数も数であることを許すならば，すべての数は無限小数の表示を持ってしまう。もし無限小数を許さないとすると，$\sqrt{2} = 1.4142\cdots$ は数でなくなってしまうから，無限につづく小数を認めざるを得ない。

読者の中には，数学を完璧で冷たい学問だと思っている人もいるかもしれないが，なかなかどうして人間的であって，顔は澄ました 1 に見えても，心の中は 0.999… と悶々としているのである。

ただ，1÷3 を割ったつもりになって 1/3 と表記しておけば，1/3×3=1 になってくれる。したがって，1÷3 の計算結果を求めようとするのをやめて，たまには怠けて 1/3 としておくのもよい。分数は怠けるにはぴったりの表現方法である。

割り算を $b \div a$ と書くとどうしても計算したくなるのが人情というものだが，今のように b/a と書いて放っておくのも一つの知恵である。

一方，分数という数の表現は小数とは違った表現で，料理番組によく出てくることからもわかるように（1/3 カップとか），水とかしょうゆのような切れ目のない量を示すのに適切な表現でもある。

　また，掛け算を，2+2+2＝2×3 のように，足し算の省力化の記号のように思っている人もいるかもしれないが，それに終わるものではない。

　例えば，長さ × 長さ ＝ 面積であるが，2 m×3 m であっても 2 m+2 m+2 m ではない。長さをいくら足しても面積にはならない。掛け算はほんらい足し算とは異なった新しい演算である。

　同様に，割り算も引き算とは異なる新しい演算である。

　このような新しい演算を考える必然性は実際の問題から起きてくる。例えば，「速さ」という概念は（距離）÷（時間）として作り出される。したがって，（距離）＝（速さ）×（時間）が成り立つ。微分もこの割り算から作り出された概念である。

　数の計算の上では，＋, －, ×, ÷ の四つが基本である。したがって，これらの四つの演算を用いてなされる計算を四則演算という。計算がうまくいくためにはそのための法則が必要であり，その一つが，分配法則と呼ばれる法則である。

$$a\times(b+c) = a\times b+a\times c$$

これはよく下の面積図を用いて説明される。

　また，四則計算では計算式の中での優先順位があり，＋, － よりは ×, ÷ を先に計算する。

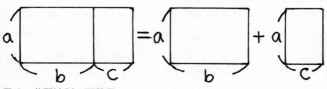

図2　分配法則の面積図

つまり，次のような約束がある。

(1) 括弧の中を先に計算する

(2) 足し算や引き算より，掛け算や割り算を先に計算する。
その時には左にあるものが優先する

なぜこのような約束が必要なのだろうか。(1) は約束事であるから説明はいるまい。(2) については，2＋3×4－5 という式を考えてみる。

これを 2＋3 を計算して，それに 4 を掛けて，それから 5 を引いてはいけない。3×4 を先に計算して，2 に 12 を加えて，そこから 5 を引くのである。その理由は，「式」というのはある具体的な事柄を解決するためのものだからである。この式が表している具体的場面を考えてみればいい。

これは，$2\,\mathrm{cm}^2＋3\,\mathrm{cm}×4\,\mathrm{cm}－5\,\mathrm{cm}^2$ かもしれないし，2 個＋3 個（一皿につき）×4 皿－5 個かもしれないのだ。いずれにしても，2＋3 を先に計算するとまずいことがわかる。こうして，どうしても掛け算を先に計算する必然性が出てくる。割り算にしても同じである。

上の式を文字で置き換えてみると，

$$a＋b×c－d$$

であるが，× は省略されて書かれることが多く，$a＋bc－d$ と表記される。これは文字 x（エックス）と ×（掛ける）を混同しないようにという配慮もあるが，実は掛け算を先にやるということから正当化される表現でもある。× を省略したり ÷ の代わりに / を用いたりするのは，式の変形が間違いなく行われるための合理的方法の一つでもある。文字式ではそのことが非常に重要になる。

第 　3　 章

無限の魔力

　∞ はイギリスのウォリスが考えたもので，彼の著書『無限の算術』（1656 年）で初めて使われた記号だという。1000 に対する初期ローマの数字 ⊂|⊃ からヒントを得たといわれているが，異説もある。ウォリスの本では 1/0＝∞, 1/∞＝0 という記述があり，0 に相対する記号として 00 をくっつけて ∞ としたのではないかと推測した本もある。

　いずれにしても，この記号 ∞ は記号の中では特殊である。

　なぜならこれは数を表すのではなく，非常に大きい「状況」を表す記号だからである。つまり，∞ は無限大を意味するものであって，数としての記号ではない。

　ただ，無限大とは何かということを言葉で表現するのは難しい。

　イソップ物語でこんな話がある。

　カエルの子ども（おたまじゃくしではない）が牛を見てびっくりし，ほうほうの体で帰ってきた。カエルの子どもはお母さんにいった。

「お母さん，とっても大きいものを見たよ」

　母親は，そんな大きいものはないといって，お腹を膨らませて見せると子どもが，

「いや，もっと大きかったよ」

というので，また膨らませてみせるが，もっともっとというううちにお腹がパンクしてしまったという，きわめて残酷な話なのであるが，人のいうことをあまり疑ってかかるものではないとか，人の真似ばかりするなとかいう教訓的な話である。

　とはいうものの，カエルの子どもにとって牛はまさに表現できないくらいに大きいものだったに違いない。カエルの親子が無限大を知っていたら，「∞」で済んでしまって，凄惨な結果を招かずに済んだかもしれない。実際，この記号を発明してくれたおかげで数学も悲惨な結果を辿らずに済んだといえる。

　記号というのは，書くことを節約するだけでなく，概念を表現するものでもあり，現代のロゴマークと同じくメッセージ性の高いものである。

　無限大はほんらい数字ではないから，$n = \infty$ と書くのは意味のないことだが，メッセージだと思えば許せるであろう。したがって，

$$n \to \infty \text{ ならば } n^2 \to \infty$$

などと書くのが普通であるが，

$$\lim_{n \to \infty} n^2 = \infty$$

という書き方もする。

　それでは無限とは何かということになるが，一言でいうと，無限とは有限ではないことである。

　しかし，これではわかったようでいてわからない。

　例えば，自然数 $1, 2, 3, \cdots$ が無限であるというのは，任意の

自然数 a を考えたときに，$a < n$ となる自然数 n が必ずある，ということである。これだとどこまでいっても尽きないという感じがつかめるであろう。

次の話は無限の持つトリックである。

ある旅人が道に迷い，日も暮れてきたので宿を探していたら，「偶数屋」という旅館があった。この旅館はすべての偶数の番号からなる無限の客室で成り立っている。店の前まで行くとそこには「満室」という看板が出ていた。しかし，もはや手がないので，旅館の主人に尋ねると「ちょっとお待ちください」といって待たされたが，無事泊まることができた。この看板は偽りだったのかという話である。

からくりは，すでに泊まっているお客さんに自分の部屋番号よりも 2 だけ大きい番号の部屋に移動してもらって，最初の部屋を空けてくれたというわけである。

19 世紀の集合論の創設者であるドイツのカントルは無限を次のように考えた。

数学では対象となる物の集まりを集合というが，その集合に属する要素が無限個あるというのは，その集合が自分のす

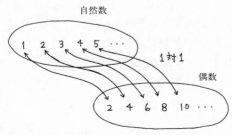

図 3　1 対 1 対応

べての要素と1対1対応のつく要素を持つ本当に小さい集合（真の部分集合という）を含んでいることである。

　例えば，自然数の集合を考えてみよう。この集合は偶数全体をその一部分として（真の部分集合として）含んでいるが，

$$1 \to 2,\ 2 \to 4,\ \cdots,\ n \to 2n,\ \cdots$$

という具合に対応させれば，自然数と偶数全体とは1対1対応がつくことになる。つまり，自然数全体の多さとその一部分である偶数全体の多さとは同じである。このような性質を持つ集合を無限集合という。これが無限ということである……とカントルは考えた。

　現在では，無限にも階層（大小）があることがわかっている。

　自然数全体と同じ程度の無限を可算無限（番号づけのできる無限）といい，実数全体と同じ程度の無限を非可算無限（番号づけのできない無限）という。前者は $\aleph_0$（アレフ・ゼロ）と表され，後者は $\aleph$（アレフ）と表される（第28章参照）。

　この階層性でいえば，分数で表される数の全体はアレフ・ゼロであり，$\sqrt{2}$ などのような無理数の全体はアレフである。したがって，分数よりも無理数のほうがはるかに多い。数の国家では，3 よりは 3.1415… と最後まで書けない数字のほうがマジョリティーである。

第 **4** 章

％
計算をラクにしたい

　％は百分率の記号であり，パーセントという。

　消費税率が変わるたびに，買い物をするときの合計金額に感覚が追い着かずにレジでとまどったり，銀行の預金金利が低く年金生活のお年寄りは泣いているということになったり，庶民の生活は％によって翻弄（ほんろう）されるものである。

　パーセントはラテン語の per centum（100）からきたもので，「100 について」という意味である。小数が発達するのはネイピアやベルギーのステヴィン以降の 16 世紀であり，それまでは 60 進数が主流で，60 進数が 10 進数に完全にとって代わられるのは 18 世紀になってからである。

　かといって，分数も計算は大変だったので，実際の金銭取引や税金や利益の損失などには，計算上都合のいい 1/10，1/20，1/25，1/100 などが用いられた。ローマ時代には競売にかけられる品物には 1/100 の税金，解放された奴隷には 1/20 の税金，売られた奴隷には 1/25 の税金がかけられたとのことである。

　1/100 は 100 に分割したときの単位部分を表しており，計算が楽になるというメリットがあったから頻繁に用いられるようになった。古代ローマでは，パーセントは金銭上の 100 に対する損失や利益と考えられて，商業上の金銭取引にのみ

用いられたとのことである。特に，15世紀の商業の中心であったイタリアではパーセントが盛んに用いられた。15世紀や16世紀のヨーロッパではすでに複利計算が行われており，ステヴィンやチェコ生まれのルドルフなどにより複利表が作られている。その後は，適用範囲を広げて今日の百分率として用いられるようになった。

cento（100）がctoと縮めて書かれ，tが単なる棒になり，%の記号が生まれたようである。1684年のイタリアの本には%という記号が現れているから，300年以上の歴史を持っていることになる。パーセントに対して，鉄道線路の勾配などを示すのに使われるパーミルとよばれる千分率の記号‰もある。

図4 %の記号の変遷

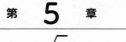

第 **5** 章

なんでこんな変な形なのか

$\sqrt{}$ はルートという記号で，$\sqrt{2}$ とか $\sqrt{25}$ という具合に使われる。$\sqrt{2}$ というのは，二乗したら 2 になる数という意味である。したがって，$\sqrt{25}$ というのは二乗したら 25 になる数を表しているので $\sqrt{25}=5$ である。-5 も二乗したら 25 になるが，$\sqrt{25}$ は正の数との約束になっている。だから，$\sqrt{a^2}$ と書かれると判断に困る。

二乗して a^2 になる数は a なのだが，$a=-3$ だったらどうするのか。

$$\sqrt{a^2} = \sqrt{(-3)^2} = \sqrt{9}$$

であるから，最後のところだけを見て，約束に従えば $\sqrt{9}=3$ だからといって，$\sqrt{a^2}=a$ としてはいけない。文字で書かれている時は，

$$\sqrt{a^2} = |a|$$

とするのが正解である。

この記号は根（radix）の r から来たというのがスイスのオイラーの説である。イタリア，フランス，ドイツなどでは，$\sqrt{5}$ を $R5$ と表していた。最初に $\sqrt{}$ を使ったのはルドルフで，1525 年に発行した書物『普通と呼ばれる代数の技巧的規

則による速くて美しい計算』の中においてである。ルドルフは $\sqrt{}$ と書いていて、現在のように上の棒を長くしたのはフランスの哲学者デカルトである。

ところで、この記号 $\sqrt{}$ はすべての正の数につけることができるから、自然数である $1, 2, 3, \cdots, n, \cdots$ のすべてに、$\sqrt{1}$, $\sqrt{2}, \cdots$ としていけば、$\sqrt{}$ のついた数が次々と生まれてくる。さらに、$\sqrt{}$ をつけて $\sqrt{\sqrt{2}}$ や 1.5 に $\sqrt{}$ をつけて $\sqrt{1.5}$ とすることもできるから、$\sqrt{}$ のついた数のほうが自然数より圧倒的に多いということになる。

ルートのついた数で一番有名なのは、やはり $\sqrt{2}$ であろう。

これはピタゴラスの定理から発見された。ピタゴラスは紀元前の古代ギリシャの人であり、ピタゴラスを中心とする学派は 200 年続いたとされる。

ピタゴラスは「万物は数である」という信念の持ち主であるからして、すべては整数の比（有理数）で表されると考えていた。したがって、この無理数の発見は非常に彼を悩ましたといわれている。彼は門外での他言を禁じたといわれており、それに反した者は海に突き落とされたといわれているが真相はわからない。ただ、それくらいショックな発見であったことは想像に難くない。

さて、$\sqrt{2}$ を求めるのに、その定義に沿って求めようとした人がいる。つまり、$2 = 2/1 = 8/4 = 18/9 = \cdots$ という形で、分母を n^2 にして計算していくと分母と分子が平方数（$= (q/p)^2$）になるところがあるはずだ、と信じてそれを見つけようとしたのである。もしあったとしたら、q/p が $\sqrt{2}$ となる。

むろん、$\sqrt{2}$ は無理数なのでうまくいくはずはないのだが、

その近似値を見つけた人がいた。その人の名はエジプト（ローマ時代）のアレクサンドリアのテオンといい，彼はこの方法で 288/144 のところで，分子が 1 だけ違う 289/144 がちょうど (17/12)² なることを見つけた。確かに 17/12＝1.416…だから √2 に近い。

　間違った信念に基づいていたとはいえ，数への強い意思がもたらした成果である。

　無理数なんて，どうせ数字で書き表されないからあまり存在しないんじゃないの，と考えている人がいるかもしれないが，別のところで述べたように有理数より無理数の方が多い。犬も歩けば無理数に当たると考えたほうがよい。

　実社会でも，√2 は頻繁に出てくる。モナ・リザの絵の縦と横の比は √2 に近い。また，徳川家康に大坂冬の陣の口実を与えた，国家安康と書かれた京都・方広寺の梵鐘の，口径と高さの比も √2 に近いとのことである。√2 は美の源泉ともいえよう。

　ところで，ある長方形の用紙を半分に折ってもその形が変わらない，つまり，相似であるためには元の長方形の縦と横の比はいくらであればよいか，という問題を考えてみると，縦を 1，横を x としてこの問題を解いてみれば，

$$1 : x = \frac{x}{2} : 1$$

となって，$x^2＝2$ を得る。つまり，辺の比が √2 になっていればよいのである。実際印刷やコピーに使う，A 判，B 判の用紙はこの原理でできている。

　A3 判を半分にしたのが A4 判である。最初と形を変えずに小さいサイズが作れる便利な原理なのである。

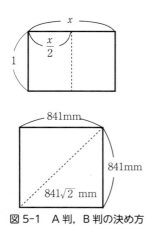

図 5-1 A判，B判の決め方

実際の A 判は，面積が $1\,\text{m}^2$ で辺の比が $1:\sqrt{2}$ となる紙を A0 判としてスタートする。これは，実際に計算すると 841 mm×1189 mm である。もっとも，841 mm さえどこかに作っておけば，もう一辺の長さは正方形の対角線（$1189 \fallingdotseq \sqrt{2}\times 841$）の長さとして作れる。寸法は測る必要すらない。

$\sqrt{2}$ の長さはメジャーでは作れないが，幾何学的にはわけもなく作り出せる長さなのである。もっといえば，幾何学的にしか作れない数である。幾何学の威力がここにある。

測らずともできるというのは数学の大きな特徴である。

ところで，先ほどの紙のサイズは 2 次方程式の解として求まったが，2 次方程式や 2 次関数は，面積の最大とか最小を求める問題では必ず出てくる。2 次方程式は解の公式があり，必ず（代数的に）解ける。もっとも，解が複素数になることもある。

$$ax^2 + bx + c = 0 \quad (a \neq 0)$$

の解 x は次の式で求まる。

$$x = \frac{-b \pm \sqrt{b^2 - 4ac}}{2a} \quad \text{（解の公式）}$$

このように $\sqrt{}$ と $+，-，\times，\div$ という操作で解が求められることを「代数的に解ける」という。解の公式の一般形を最

初に考えたのは 16 世紀フランスの記号代数の先駆者，ヴィエトである。また，± の複号記号を最初に用いたのは，フランスのジラールで 1629 年のことである。3 次方程式ではイタリアのカルダノが作った解の公式がある。

このような解の公式は 4 次方程式までは存在するが，5 次方程式以上になると，√ をとるという操作と +, −, ×, ÷ という操作では，もはや解を書いてみせることができない。つまり，複素数の範囲で必ず解があることは別の方法から知ることができるが，解を求める一般的手段はないのである。これは，岩石に金が入っているのはわかっているのだが，取り出す方法がないのと同じことである。つまり，あとは個別の問題に即してコツコツとやる地道な努力が必要となる。

数学では解が存在するか否かを判定すること（解の存在定理）と，解を具体的に求める方法を確立する仕事は別の仕事である。どちらがやさしいかは何ともいえないが，解があるかどうかがわからないのに解を求めようとしても無駄であるから，解が存在するか否かは重要なことなのである。

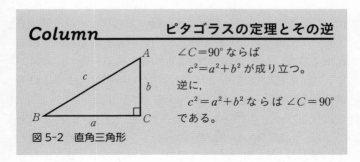

Column　　　　　　　　　　ピタゴラスの定理とその逆

∠C = 90° ならば
　　$c^2 = a^2 + b^2$ が成り立つ。
逆に，
　　$c^2 = a^2 + b^2$ ならば ∠C = 90°
である。

図 5-2　直角三角形

第 6 章

π

πでパイ屋がもうかる？

π は円周率の記号である。

この記号は，18 世紀にイギリスのウィリアム・ジョーンズの『新数学入門』で用いられたが，実際に定着するのはオイラー以降であり，ギリシャ語の円周を意味するペリフェリス（περιφερη）からきているという説もある。ちなみに，半径に用いられる r（radius）はラテン語で光線の意味である。1569 年フランスのラムスが使った。その後ヴィエトも使うようになって 17 世紀の終わりに定着した。

円周率は，円周と直径の比（円周/直径）である。

どのような半径の円でもこの比が一定であることは紀元前の古い時代から知られていた。この比は 3.141592… といった無理数であり，どこまでも続く数字であり，正確に書き表すことはできない。したがって，円の面積も数値的に正確には求まらないから，あくまでも近似値である。そのために，より精度の高い近似値の計算が古代から行われ，よりよい近似値を示す分数（有理数）が求められた。

古代ギリシャのプトレマイオスは $3\frac{17}{120}=3.1416\cdots$ を求めている。分数にするのは文化の違いもあるが，小数の発達していなかった古い時代にあっては，このほうが計算に便利であったためと思われる。

それより前，同じ古代ギリシャで，アルキメデスは円を内接多角形と外接多角形ではさみうちして近似する方法で計算し，周の長さと直径との比を出して円周率を求めた。彼は正六角形から始めて辺の数を2倍にしていき，正96角形までやって，π が $3\frac{10}{71}$ ～ $3\frac{10}{70}$ の間にあることを突きとめている。その後，この方法が円周率を求める技の主流になった。

図6-1　円の外接六角形と内接六角形

多くの挑戦者がこの方法を改良して π のしっぽを捕まえようとした。5世紀の中国の数学者祖 沖之は 355/113 ＝ 3.1415929… を得ている。日本の建部賢弘は，1722年に正1024角形を計算し，40桁以上も求めている。実は建部よりも200年も前の16世紀に π の計算の転機が訪れていた。

フランスの弁護士であったフランソワ・ヴィエトは，60進数の小数を10進数に直したり，未知量に母音文字を，既知量に子音文字を使って記号代数の先鞭をつけたりもした。また，negative（負）や coefficient（係数）という言葉も導入し，三角関数の倍角の公式や sin nx，cos nx の式なども導いた。これで数学の素人かと舌を巻くほどであるが，この時代の知識人の教養は今とは比較にならないほど高かったのである。

彼は，正 393216（＝6×2^{16}）角形を使って，3.1415926535 ～ 3.1415926537 を出している。しかし，彼の π における業績はここにあるのではなく，実は，π の近似式として，無限の掛

け算で得られる解析的表現（無限乗積）を与えたことにある。彼の作った式は，次のようなものである。

$$\pi = \cfrac{2}{\sqrt{\cfrac{1}{2}}\sqrt{\cfrac{1}{2}+\cfrac{1}{2}\sqrt{\cfrac{1}{2}}}\sqrt{\cfrac{1}{2}+\cfrac{1}{2}\sqrt{\cfrac{1}{2}+\cfrac{1}{2}\sqrt{\cfrac{1}{2}}}}\sqrt{\cdots}}$$

この式は，実際の π の値を求めるにはほとんど無力であったが，π の解析的近似という全く新しい方向を啓示した。

その後の π のドラマは，微積分という強力なスターを得て，解析的手法により数々の無限乗積や無限級数展開を生むこととなる。

その中には 1/4 円で囲まれた部分の面積，

$$\int_0^1 \sqrt{1-x^2}\,\mathrm{d}x = \frac{\pi}{4}$$

の，左辺 $\sqrt{1-x^2}$ を級数展開し，項別に積分して苦心の末に見つけたウォリスの公式などがある。

$$\frac{\pi}{2} = \frac{2}{1}\cdot\frac{2}{3}\cdot\frac{4}{3}\cdot\frac{4}{5}\cdot\frac{6}{5}\cdot\frac{6}{7}\cdots$$

π の記号を普及させたのはオイラーである。彼は π に関するさまざまな公式を作り出した。その中に数学史上もっとも美しいとされる，0 と 1 と虚数 i と π を結びつけた，

$$e^{\pi i}+1 = 0$$
$$(e=2.71828\cdots)$$

という式がある。e は自然対数の底である（第 8 章，第 9 章参照）。これは次のオイラーの公

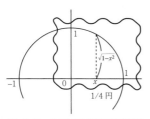

図 6-2　1/4 円の面積を積分で考える

式で，$x = \pi$ とおくと得られる（第10章参照）。

$$e^{xi} = \cos x + i \sin x \quad （オイラーの公式）$$

ところで，π に関するドタバタ劇がある。

1897年，アメリカのインディアナ州で「π の値を制定する法案」が提出されて，満場一致で可決された。残念ながら条文を確認していないので，伝聞として述べると次のようである（ベックマンの『π の歴史』から）。

法律の最初の文書には，「円の面積と円周の四分の一の長さの辺を持つ正方形は，等辺の長方形がその一辺の作った正方形に等しい如く等しいことが発見された。」とあったとのことである。これだと π は4ということになる。このような法案が可決されるのだから，大統領選挙の票の計算が違うくらいはささいなことなのだ！

たまたま，そのとき州知事を訪問していた数学者がそれを聞きびっくりして丁寧に説明し，ようやくその議題は無期延期になったそうなのだが，もしこれが採択されていたら，きっとインディアナのパイ屋は大もうけをしたであろう。

パイ屋は，一個のパイを作るのにこれくらいのパイ生地が必要，ということで π を4としてパイ一個の値段をつける。しかし本当は π ＝3.14… なので，予定したパイ生地からより多くのパイができるのである。まさに，おいしいパイの話である。

最後まで決して求まらないことがわかっていても，いまなお π を求める作業が続いている。2019年3月14日時点での世界記録保持者は，グーグル技術者の日本人女性，岩尾エマはるかさんである。それ以前の記録を大幅に更新して31兆

4159 億 2653 万 5897 桁まで計算をした。

　実用上はせいぜい小数点以下 4 桁で十分だというのだから，「π の魔力」という他はない。

第 7 章
sin, cos, tan
サインのふるさと

sin, cos, tan は $\sin x, \cos x, \tan x$ のように x を伴って書かれ，通常 x は角度（あるいは弧度）であり，角度を直角三角形の辺の長さの比に直す関数である。したがって，三角関数とよばれている。

直角三角形 ABC を考えると，以下のようになる。

$$\sin x = \frac{BC}{AC}, \quad \cos x = \frac{AB}{AC}, \quad \tan x = \frac{BC}{AB}$$

なぜ直角三角形を考えるかというと，$\sin x = BC/AC$ の右辺の値は直角三角形の大きさによらずに x という角度のみで定まるからである。それは x 度の傾きを持つ直角三角形は相似だという事実による。

このような図は，せいぜい角度が $90°$ 以下なので，x が $90°$ 以上のときは，座標上の正負を考えて定める。今の直角三角形の考えを自然に延長しようと考えれば，$x > 90°$ になったときには，x が

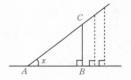

図 7-1　直角三角形と三角関数

180°以下なら，水平線と x 度の傾きを持つ線は第2象限に現れる。そこで，第2象限にできる直角三角形を考え，長さ AB に － をつけて負と考えることで，$\sin x, \cos x$ を定める。そうすれば，x を動かすとき $\sin x, \cos x$ は，切れ目なく（＝連続的に）うまくつながる。ただし，$\tan x$ だけは $x = 90°$（$AB = 0$）では，その値が定義できない。つまり，$90° \leqq x \leqq 180°$ ならば以下のようになる。

$$\sin x = \frac{BC}{AC}, \quad \cos x = \frac{-AB}{AC} = -\frac{AB}{AC},$$

$$\tan x = \frac{BC}{(-AB)} = -\frac{BC}{AB}$$

ところで，三角関数の起源ははるか昔である。古代の人々は砂漠を越え海を越え交易を行った。そのため，太陽や月や星の動きを道しるべにしなければならなかったし，また一方で作物の実りを確実に得るためには年間の暦を必要とした。そのいずれもが天文学にたよっていたのはいうまでもない。

天文学では，人々の生活を支える重要な情報を得るために，星の動きを観測しその正確な情報をキャッチすることが求められた。より正確な情報を確保するための計算方法として，三角形の辺と角の間の関係を調べたり求めたりする三角法と呼ばれる方法が発達した。三角法はこのような天体観測や測量などのために開発されたものである。古代文明の発生した中国，インド，バビロニア，

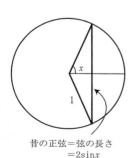

昔の正弦＝弦の長さ
＝$2\sin x$
図7-2　中心角に対する弦の考え方

エジプトで三角法が発達したのも天体観測のためである。

　しかし，三角関数は最初から直角三角形の辺の比として考えられていたのではない。冒頭のような直角三角形を用いた定義を考えたのは 16 世紀のドイツのラエティクスである。さらに，今のように関数として考えられるようになったのは 18 世紀以降である。それまでは，中心角に対する弦の長さ（その半分が今日でいう sin x に対応する）として認識され，その弦の長さを計算することが主眼であった。

　紀元前 2 世紀，古代ギリシャのヒッパルコスは鋭角に対する最初のそのような正弦表を作った。それは今日でいえば円の中心角に対してその弦の長さを計算した表である（ヒッパルコスの作った実際の表は残っておらず，2 世紀のプトレマイオスの著書『アルマゲスト』にその一部が載っている）。彼らは今日のように直角三角形そのものから計算して求めたのではなくて，円の内接正多角形の辺と半径の関係を利用したり，円に内接する図形の幾何学的性質を利用して，中心角に対する弦の長さを計算した。

　その後，インドや中東に伝えられ，より正確な表が作られ利用された。13 世紀になって，ペルシャ（イラン）のナシル・アッ・ディン・ムハンマド・アッ・トゥーシーというやたら長い名前の数学者が，その著書『完全な四辺形についての論文』で，三角法の結果を天文学とは切り離して数学的立場から初めて説明をした。それが，15 世紀のドイツのレギオモンタヌス（ヨハネス・ミューラー）に大きな影響を与えたといわれている。レギオモンタヌスは『アルマゲスト』をラテン語に翻訳し，平面や球面上の三角法を天文学とは切り離して研究した。

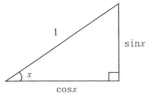

**図 7-3　三角関数の基本的な
関係**

18 世紀に今日のような関数として取り扱いを発展させたのはオイラーである。三角関数（trigonometric functions）という用語は，オイラーの後継者のクリューゲルによる。

三角関数に関する基本的な関係である，

$$\sin^2 x + \cos^2 x = 1$$

はピタゴラスの定理そのものであり，その他のいろいろな基本的な関係のほとんどは余弦定理と正弦定理から導かれる。余弦定理なども，もともとピタゴラスの定理にもとづいている。中学校の幾何学の一つの到達点がピタゴラスの定理にあるのはそのためである。

$$\frac{a}{\sin x} = \frac{b}{\sin y} = \frac{c}{\sin z} \quad （正弦定理）$$

$$c^2 = a^2 + b^2 - 2ab \cos z \quad （余弦定理）$$
$$（z = \pi/2 \text{ のときがピタゴラスの定理}）$$

**図 7-4　三角形の辺と
角の関係**

sin というのは，ラテン語の sinus からきている。もともとは，インドの言葉で半分の弦という「アルドジバア」が最初で，アラビア語になるときに弓形の意味の「ジャイブ」になり，12 世紀にアラビア語から同じ意味のラテン語の sinus と訳され

た。余弦の cos は補足の正弦（complementi sinus）を短くした co-sinus からきたようである。余弦に cos を使ったのは，16 世紀イギリスのグンデルである。

ところで，今日では微積分学の発達によって，$\sin x$ や $\cos x$ は，マクローリン展開（第 32 章参照）を用いて次のように無限に続く多項式で表されることがわかっている（これを級数展開という。ただし，x の単位はラジアン）。

$$\sin x = x - \frac{1}{3!}x^3 + \frac{1}{5!}x^5 - \frac{1}{7!}x^7 + \cdots$$

$$\cos x = 1 - \frac{1}{2!}x^2 + \frac{1}{4!}x^4 - \frac{1}{6!}x^6 + \cdots$$

これに従えば，数表はなくても，（ラジアンではあるが）x に対する $\sin x$ や $\cos x$ の値を必要な精度で求めることができる。

実際，高校の教科書などに次のように書かれているのを見たことがあるのではないだろうか。

$$\sin x \approx x - \frac{1}{3!}x^3 = x - \frac{1}{6}x^3$$

$$\cos x \approx 1 - \frac{1}{2!}x^2 = 1 - \frac{1}{2}x^2$$

大雑把ないい方をすれば，この多項式の x に値を入れて計算すれば，$\sin x$ や $\cos x$ の近似値が得られるわけで，いちいち辺の長さから求める必要などないのである。こうして三角関数は測定から解放されて，単なる計算へと効率化されたわけである。

微分ができる関数はどんな関数でも結局は多項式に直ってしまうというのは考えてみればやはりすごいことなのだ。

今では，波や音を形としてとらえるには三角関数はなくてはならないものとなっている。それは，波や音はすべて三角関数のいくつかの組み合わせとして得られるからである（例えばフーリエ級数）。

その昔，天文学にとって重要であった関数は，今は地上に降りてきて，技術革新をになう重要な関数となった。

Column ラジアン

sin$x$，cos$x$，tan$x$ を図形的なものから切り離して，普通の実数を変数とする関数として考えるには，x を角度ではなく長さとして考えればよい。実際そのほうが便利である。

$$1ラジアン＝\frac{180°}{\pi}≒57°$$

$$1°＝\frac{\pi}{180°}ラジアン$$

図7-5　ラジアン

半径1の円で，半径の長さ1に等しい長さの円弧に対する中心角の大きさを1ラジアンと定め，この単位で角度を表す方法を弧度法という。1ラジアンは，$(180/\pi)°＝57.2957\cdots°$である。逆に，$1°$は$\pi/180$ラジアンである。半径を1に限定する必要はないが，円の中心角を決めれば，円周に対する円弧の割合は半径の大きさには関係なく一定に定まるので，半径1で十分である。

ラジアンという言葉はラテン語のradius（半径）からきていて，19世紀イギリスのジェームズ・トムソンによって導入された。

第 **8** 章

ln, log
天文学的な魔術

　log や ln は対数（logarithm）の記号である。

　対数は，もともと非常に桁数の大きい数の計算処理のために考えられた。大きい数をいかに正確に計算するかという問題はコンピュータのない中世の時代にきわめて重要なことであった。

　いま，どんな数 r に対しても 10^r が計算できているものとしよう。ある大きな数 x と y があったとき，$x=10^r, y=10^s$ となるような数 r, s をみつけることができれば，$x \times y = 10^r \times 10^s = 10^{r+s}$ なので，$r+s$ を計算して，10^{r+s} の値を読めば，$x \times y$ が計算できたことになる。

　この場合のように，ある数 x に対して $x=10^r$ となるような r をみつけることを 10 を底とする x の対数を求めるといい，$r=\log_{10} x$ とかく。

　中世以降，イギリスなどによる植民地政策や海外交易が盛んになるとともに，航海術などの向上が求められ，天文観測による正確な結果を必要とされた。その要請に応えるため，16 世紀，対数の発明者のイギリスのネイピアはなんと 20 年もかかって対数表を完成させたのである。当時の人々にとってこの表はコンピュータの発明に匹敵する出来事だったに違いない。

ネイピアの対数表の底は 10 ではなかったので，のちに彼の友人でイギリスのブリッグスの作成した常用対数（10 を底とする対数のこと）の表にその座を奪われることになるが，ネイピアの発明が画期的であったことは疑いのないことである。

　対数の原理は，掛け算を足し算にして，割り算を引き算にして計算するところにある。大きい数の掛け算や割り算が，足し算や引き算に直れば計算の速度も精度も上がるというメリットがある。

　この考えはもともと二つの数列の比較からきたといわれており，紀元前のアルキメデスの著書『砂の計算者』にすでにその発想があるといわれるから，大きい数の計算が実用上重要だったと考えられる。

　例えば以下の場合を考えてみよう。

$$0 \quad 1 \quad 2 \quad 3 \quad 4 \quad 5 \quad 6 \quad 7 \quad 8 \quad 9$$
$$\downarrow \quad \downarrow \quad \downarrow \quad \downarrow \quad \downarrow \quad \downarrow \quad \downarrow \quad \downarrow \quad \downarrow \quad \downarrow$$
$$10^0 \quad 10^1 \quad 10^2 \quad 10^3 \quad 10^4 \quad 10^5 \quad 10^6 \quad 10^7 \quad 10^8 \quad 10^9$$

$$10^3 \to 3 \quad 10^5 \to 5 \quad \Rightarrow \quad 10^3 \times 10^5 = 10^8 \quad \to \quad 8 = 3+5$$
掛け算 → 和

$$10^7 \to 7 \quad 10^4 \to 4 \quad \Rightarrow \quad 10^7 \div 10^4 = 10^3 \quad \to \quad 3 = 7-4$$
割り算 → 差

であることがわかる。つまり，n に対して 10^n を対応させるのは指数関数といわれるものであるが，対数というのはちょうどその逆になっている関係を指すのである。

　したがって，「掛け算→和」と「割り算→差」にするための一つの方法は，指数関数の逆を考えればいい。つまり，指数

関数の指数を抜き出す関数を考えればよいことになる。

　一般の指数関数は，ある正の数 a を考えて，x に対して a^x を対応させる関数 $y=a^x$ のことである。その逆が今日の対数関数と呼ばれるものである。つまり，上で 10^3 に対して 3 を対応させたように，$x=a^y$ である x に対してその指数 y を対応させるものであり，これを $y=\log_a x$ と表す。この正の数 a を対数の底といい，y を a を底とする x の対数という。

　特に，$a=10$ のときを常用対数といい，$\log_{10} x$ と表記する。

　それに対して，$a=e(=2.718\cdots)$ のときを自然対数といい，たんに $\log x$ または $\ln x$ と表記する（第 9 章参照）。

　対数の記号は，1624 年にドイツのケプラーが Log を使い，その後オイラーが常用対数に log を使い，それ以外の底の対数に l を使った。また，この対数（logarithm）という用語はネイピアが考えたもので，ギリシャ語のロゴス（関係）とアリトモス（数）を組み合わせたものだという。

　もっと一般的には，次の性質を持つ正の数 u, v から実数への関数 f を対数関数という。

$$f(uv) = f(u) + f(v) \quad （掛け算が足し算になる）\quad (1)$$

　このことから，

$$f(u^n) = f(u) + f(u^{n-1}) = f(u) + f(u) + f(u^{n-2}) = \cdots$$
$$= nf(u)$$

が導かれる。n は自然数に限らず負や分数でもよく（この関数の連続性を仮定すれば），n は任意の実数でもよいのである。

　いま，$f(a)=1$ となる a を固定すれば，$f(a^n)=nf(a)=n$

であるから，f は a の指数関数 $y=a^x$ の逆関数（つまり指数を抜き出す関数）であることがわかる。

また，(1) 式で $u=v=1$ とすれば，$f(1\cdot1)=f(1)=f(1)+f(1)$ なので，$f(1)=0$ である。

さらに，$v=1/u$ とすれば，$f(1)=f(u\cdot1/u)=f(u)+f(1/u)$ となり，$f(1)=0$ より $f(1/u)=-f(u)$ となる。このことから，

$$f(u/v) = f(u\cdot1/v) = f(u)+f(1/v) = f(u)-f(v)$$

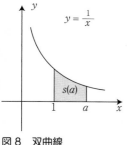

図8　双曲線

となる。

実は，「掛け算→和」という (1) の性質だけで「割り算→差」となる性質は導かれる。

ところで，対数の原理の発見はネイピアの発明よりずーっと遅れて別のところからももたらされた。曲線で囲まれた面積や体積を求めることは古くから懸案の事項であり，17 世紀にさまざまな発見がなされた。

特に，双曲線 $y=1/x$ の面積に関して，$x=1$ から $x=a$ までの面積を $s(a)$ と表すことにすると $s(a)$ は次のような性質を持っていることを 1647 年にイギリスのグレゴリーが，1649 年にはベルギーのサラサが発見した。

$$s(a)+s(b) = s(ab)$$

これは上に述べた (1) を満たしており，$s(x)$ が対数関数であることが発見されたのである。この対数関数が実は自然

対数といわれるものである。自然対数という用語は，17世紀のイタリアのピエトロ・メンゴリの命名である。

$y=1/x$ の $x=1$ からの面積が1となる点を e と書く。つまり，$s(e)=1$ である。そしてその値は，$e=2.718281828459045\cdots$ であり，無限に続く小数で，無理数である。

$s(e)=1$ ということは，

$$s(e^n) = s(e)+s(e)+\cdots+s(e) = 1+1+\cdots+1 = n$$

となるから，指数関数 $y=e^x$ の逆関数である。つまり，この対数の底は e であり，

$$x = s(y) = \log_e y = \log y = \ln y$$

である。

e
どーでもイーわけではない

e は自然対数の底であり，ネイピア数と呼ばれる。

$$e = 2.718281828459045\cdots$$

この数が無理数であることはスイスのオイラーが 1744 年に証明し，有理数を係数とする代数方程式の解にはならないことは 1873 年にフランスのエルミートが証明した（このような数を超越数という）。

オイラーはネイピアの考えた対数の底から，

$$e = \lim_{n \to \infty} \left(1 + \frac{1}{n}\right)^n$$

であることを発見した。

ネイピアが対数表を作るのに採用した底は $1 - 10^{-7} = 0.9999999$ である。これではあまりに 1 に近すぎて計算上都合が悪いので実際の対数計算では，10^7 を掛けたものをもちいて，

$$x = 10^7 (1 - 10^{-7})^y = 10^7 \{(1 - 10^{-7})^{10^7}\}^{y/10^7}$$

として計算していた。つまり，

$$\frac{y}{10^7} = \log_{(1 - 10^{-7})^{10^7}} \frac{x}{10^7}$$

ということである。

ところで，$(1-10^{-7})^{10^7}$ は，

$$e^x = \lim_{n \to \infty}\left(1+\frac{x}{n}\right)^n \quad \left(x=1 \text{ のときが } e=\lim_{n \to \infty}\left(1+\frac{1}{n}\right)^n\right)$$

において，$n=10^7$ と $x=-1$ を入れたものであり，10^7 がかなり大きい数なので $e^{-1}(=1/e)$ に近い数である。これがネイピアの底が *e* の逆数だといわれるゆえんである。

　ネイピア自身は自然対数の底 *e* を考えつかなかったにもかかわらず，*e* はネイピアの数と呼ばれている。*e* という記号はオイラーが 1736 年に導入したものである。対数の定義はオイラーが与えたのでオイラー（Euler）の名前の E にちなんだ *e* というわけだが，姓はオイラー，名はネイピアと 2 人の名誉を背負っているわけである。

　e を計算するにはいろいろな方法があるが，現在知られている中では，ニュートンの考えた次の級数を用いると一番効率よく *e* に近い値が得られる。この級数を途中で打ち切って，電卓で計算してみよう。

$$e = 1+\frac{1}{2!}+\frac{1}{3!}+\frac{1}{4!}+\cdots$$

　e が入っている公式を挙げると数限りがないくらいたくさんある。ここでは省略するが，どーでも *e* というわけではない。続きは第 32 章を。

第 10 章

i

数学を元気づけた嘘

　1というのは普通の数の単位だが，i は $\sqrt{-1}$ のことで虚数単位と呼ばれている。

　$i(=\sqrt{-1})$ は何かというと，二乗して -1 になるという記号である。このようなことは普通の数では起きない。そこで，普通の数とは違った新しい数を作る素になるという意味で「単位」と呼び，単位 i を使って，$2+3i$ というように表現されたものを複素数（complex number）と呼ぶ。

　この記号 i を用いたのはオイラーであるが，この記号が普及したのは 18～19 世紀の数学者ガウス以降である。

　西洋ではルートの中が負になるこの数を imaginary number と呼び，「想像上の」「理想上の」といった意味であったが，日本語に訳されるときに「虚数」になってしまった。

　日本ではその漢字でイメージが固定化されて，ときどき都合が悪いことになる。
「嘘の数の勉強をしてもどうしようもないじゃないか」
と最近の生徒達はなかなか手厳しい。

「嘘も方便だよ」
といいたいところだが，もはやそれがシャレにならないほどに最近のお偉方のモラルは低下し，方便にすらなっていない。

　虚数が注目されるようになったのは 16 世紀で，カルダノ

の 3 次方程式の解の公式（1545 年）以降である。
（カルダノの公式）

$$x^3 + ax^2 + bx + c = 0$$

を解くのに $x = y - \dfrac{a}{3}$ とおくと，次の方程式を得る。

$$y^3 + py + q = 0$$

ただし，$p = -\dfrac{a^2}{3} + b, q = \dfrac{2}{27}a^3 - \dfrac{ab}{3} + c$ である。ここで，

$$\alpha = -\frac{q}{2} + \frac{1}{2}\sqrt{q^2 + \frac{4}{27}p^3}$$

$$\beta = -\frac{q}{2} - \frac{1}{2}\sqrt{q^2 + \frac{4}{27}p^3}$$

とし，

$$\sqrt[3]{\alpha}\sqrt[3]{\beta} = -\frac{p}{3}$$

となるものを考える時，次のものが解となる。

$$\sqrt[3]{\alpha} + \sqrt[3]{\beta}, \quad \omega\sqrt[3]{\alpha} + \omega^2\sqrt[3]{\beta}, \quad \omega^2\sqrt[3]{\alpha} + \omega\sqrt[3]{\beta}$$

ただし，ω は，$\omega^3 = 1$ の解で $\omega \neq 1$ で，

$$\omega = \frac{-1 + \sqrt{-3}}{2}, \quad \omega^2 = \frac{-1 - \sqrt{-3}}{2}$$

　カルダノの時代以前に 2 次以上の高次の方程式が出てこなかったわけではないが，実用的には正の実数解さえわかればよかったので，それ以外の解は見向きもされなかった。カルダノの公式が注目をされたのは，それまで 3 次方程式の解の公式がなかったことにもよるが，この公式によれば，解自体

は実数なのにそれが必ず複素数表示になっていたことのほうが大きい。今日では，

$$\sqrt{3+4i} + \sqrt{3-4i} = \sqrt{(2+i)^2} + \sqrt{(2-i)^2} = 4$$

ということを知っているので，実数の $\sqrt{3+4i} + \sqrt{3-4i}$ という表現に違和感はないかもしれないが，それでも
「実数は実在の数なのにどうして非実在の数の和なの？」
といわれると困る。

カルダノの本には 3 次方程式 $x^3 = 15x + 4$ を解の公式で求める問題が出てくる。

この方程式を上の公式にあてはめると，$-2+\sqrt{3}$，$-2-\sqrt{3}$ の二つの実数解ともう一つの実数解を持つことがわかる。これは次のような形をしている。

$$\sqrt[3]{2+\sqrt{-121}} + \sqrt[3]{2-\sqrt{-121}} = \sqrt[3]{2+11i} + \sqrt[3]{2-11i}$$

これが 4 だと見抜けるかな？

カルダノの公式にあてはめると実数解はすべてこのような形になる。この不思議な現象が虚数を調べていくきっかけになったのである。

カルダノの公式から出てくる形式的な形自体の意味は不明だが，基本的には $a+bi$ という形をしていることに気づいたわけである。つまり，このような形のものを集めて，足したり，引いたりすることをあたかも文字式のように考えて計算できる。

例えば，割り算は次のようになる。

$$(8+5i) \div (2+3i) = (8+5i)/(2+3i)$$

（ルートの計算と同じ要領で分母と分子に $2-3i$ を掛ける）
$$= (8+5i)(2-3i)/(2+3i)(2-3i)$$
$$= (31-14i)/13$$
$$= 31/13+(-14/13)i$$

　すでにルートの計算を知っていた当時の人にとっては，このような形式的な操作はさほど特別のことではなかったと思われる。つまり，

　(1)$a+bi$ の形のものに，足し算，引き算，掛け算，割り算をしてもこの形になる

　(2)$b=0$ ならば，$a+0i$ を a だと思えばこれは実数になる

　このようなことから，$a+bi$ の形のものは特別の場合として実数を含んだ新たな数だと考えても，計算上，何ら不都合は起きないことがわかり，実数を含むあらたな数と考えて複素数と呼んだのである。

　もちろん，それでもそのような数（複素数）はどこにあるのかといわれると答えに窮してしまう。

　ところが，ドイツの生んだ偉大な数学者ガウスは，$a+bi$ を直交座標を持つ xy 平面の x 軸を実軸にして y 軸を虚軸にすることで，xy 平面の (a, b) の点と見なすことができることに気がつき，それを 1799 年の学位論文で用いた。この考え方に気づいた人は他にもいた。スイスのアルガンやノルウェーの測量技師のヴェッセルである。

　こうして，いままで空想上の数であったものが実在する数としての存在価値をにわかに与えられたわけである。つまり，複素数は平面上の数であり，実数は $(x, 0)$ として直線上（x 軸上）の数として認識できるようになった。複素数を平

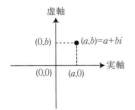

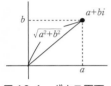

図10-1 ガウス平面

面上に示したものをガウス平面という。

直線上の数と平面上の数の違いは，直線上の数には大小関係があるが，平面上の数は大小を考えることはできないことである。その代わり，原点 $O(=0+0i)$ からの遠さを示すノルム（norm）という概念を考えることができる。

複素数のノルム
$$|a+bi| = \sqrt{a^2+b^2}$$

b が 0 の時は $|a|=\sqrt{a^2}$ となって，ちょうど実数の絶対値になっていることがわかる。したがって，実数と同じ絶対値の記号｜ ｜を用いたのである。その意味では $|a+bi|$ を複素数の絶対値ともいう。

二つの複素数 $a+bi$ と $a-bi$ を足すと $2a$ という実数になる。この二つの複素数をガウス平面で考えると実軸（x 軸）に関して対称な位置にある。このような関係にある二つの複素数をお互いに共役であるという。$a+bi$ に共役な複素数は $a-bi$ で，$a-bi$ に共役な複素数は $a+bi$ だというわけである。

これらを次のような特別な記号で表す。頭の上の――は，x 軸だと思って，そこで折り返す記号だと考えておけばよい。

$$\overline{a+bi} = a-bi$$

$$\overline{a-bi} = a+bi$$

この記号を使うと，

$$|a+bi|^2 = (a+bi)\overline{(a+bi)}$$

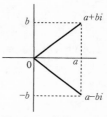

となる。つまり，

$$|a+bi| = \sqrt{(a+bi)\overline{(a+bi)}}$$

図 10-2　共役

ところで，$a+bi$ は (a, b) と同一視されるので，原点からの距離と x 軸（＝実軸）とのなす角度で決まる。つまり，

$$a = r\cos\theta, \quad b = r\sin\theta,$$
$$r = \sqrt{a^2+b^2}$$

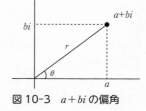

となるので，

$$a+bi = r\cos\theta+i\ r\sin\theta$$
$$= r(\cos\theta+i\sin\theta)$$

図 10-3　$a+bi$ の偏角

と書ける。θ を複素数 $a+bi$ の偏角という。

ところで，イギリスのド・モアブルは 1707 年に次の公式を発見している。

$$(\cos x+i\sin x)^n = \cos nx+i\sin nx$$
（ド・モアブルの公式）

もっとも，ド・モアブル自身が発見した式はこのような形にはなっていなかった。これは後のオイラーによって再度得られたものである。オイラーはガウスが生まれる頃に没した 18 世紀の最も偉大な数学者の一人であるが，彼はある微分方

程式の研究から得られた解 $2\cos x$, $e^{xi}+e^{-xi}$ を級数展開することで次の関係式を発見した（1740年）。左辺は実数なのに，右辺は表現上は複素数で書かれている。

$$\cos x = \frac{e^{xi}+e^{-xi}}{2}$$

このことと，$\cos^2 x + \sin^2 x = 1$ より

$$\sin x = \frac{e^{xi}-e^{-xi}}{2i}$$

が簡単に得られるから，次のオイラーの公式を発見するのはなんでもなかっただろう。

$$e^{xi} = \cos x + i \sin x \quad （オイラーの公式）$$

このオイラーの公式から，複素数の極表示という重要な表示法が得られる。

$$a + bi = r(\cos \theta + i \sin \theta) = re^{\theta i} \quad (r = \sqrt{a^2+b^2})$$

こうして，平面上の点が複素数という数としてとらえることができるようになったことが革命的であったばかりでなく，指数関数 $re^{\theta i}$ として，一つの形式で表現できるようになり，数としても非常に操作しやすくなった。

これらのことが，複素数を変数とする関数の研究である複素関数論を発展させ，いまでは電気工学を始めとして，工学のあらゆる分野で用いられるようになり，技術革新を支える重要な関数となった。

虚数が誕生した時代に誰がこのような展開を予測できたであろうか？

第 11 章

Σ

怠け者用の記号

$\sum$ はギリシャ語でシグマといい，英語の S にあたる。足し算の和は英語で sum といい，この頭文字からきている。これは足し算を省略するときに使われる記号で，この記号を用いたのはオイラーである。

$1+2+3+\cdots+10$ と書く代わりに，

$$\sum_{k=1}^{10} k$$

と書く。この方法を採用すれば，

$$1+2+3+\cdots+1000 = \sum_{k=1}^{1000} k$$

と書くことになる。ただ，1〜10 までを足すと 55，1〜1000 までを足すと 500500 というようにその答えがはっきりとしかも簡単に求まるので，紙の節約以外にはこの記号を使うご利益はほとんどないが，

$$1^2+2^2+3^2+\cdots+10^2$$

はどうであろうか？ そう簡単に答えは求まるまい。このような場合には，とりあえず，

$$\sum_{k=1}^{10} k^2$$

と書いておくと便利である。つまり、計算を怠けてほうっておくのである。計算結果をすぐに必要とせず、まとまった計算を運用する必要がある場合や最終的な結果ではなく途中の経過を示すだけの場合は、この記号を使うのが便利である。

また、最終項が一般的なもの、たとえば $1+2+3+\cdots+n$ とか $1^2+2^2+3^2+\cdots+n^2$ といった場合にも $\sum\limits_{k=1}^{n} k$ とか $\sum\limits_{k=1}^{n} k^2$ と書ける便利さがある。これらの和はよく知られていて次のようになる。

$$\sum_{k=1}^{n} k = \frac{n(n+1)}{2}, \quad \sum_{k=1}^{n} k^2 = \frac{n(n+1)(2n+1)}{6}$$

一方、この記号は $1/3+1/15+1/35+\cdots+1/(4n^2-1)$ のような場合にも使える。

$$\frac{1}{3} + \frac{1}{15} + \frac{1}{35} + \cdots + \frac{1}{4n^2-1} = \sum_{k=1}^{n} \frac{1}{4k^2-1}$$

こう書くことのよさは、一般的な項目にだけ注目をして、次のように分析的にみることができることである。

$$\frac{1}{4k^2-1} = \frac{1}{(2k-1)(2k+1)}$$

$$= \frac{1}{2}\left(\frac{1}{2k-1} - \frac{1}{2k+1}\right)$$

$$\therefore \quad \sum_{k=1}^{n} \frac{1}{4k^2-1} = \frac{1}{2}\sum_{k=1}^{n}\left(\frac{1}{2k-1} - \frac{1}{2k+1}\right)$$

この最後の式の右辺で $k=1, 2, 3, \cdots$ として考えてみれば、途中はなくなって、最初と最後が残る。こうして、次のようになる。

$$\sum_{k=1}^{n} \frac{1}{4k^2-1} = \frac{1}{2}\left(1 - \frac{1}{2n+1}\right) = \frac{n}{2n+1}$$

一般に，数列 $a_1, a_2, a_3, \cdots, a_n$ を加える場合も同じように，

$$\sum_{k=1}^{n} a_k$$

と書く。$a_1 = a_2 = a_3 = \cdots = a_n = c$（定数）の場合は，$c + c + \cdots + c = \sum_{k=1}^{n} c$ なので，$\sum_{k=1}^{n} c = nc$ ということになる。

ところで，$1 + 2 + 3 + \cdots + n + \cdots$ と限りなく足す場合でも $1 + 2 + 3 + \cdots + \cdots = \sum_{k=1}^{\infty} k$ と書いていいが，それはあくまで形式的な表現である。というのは，この和は ∞ であるから，$\sum$ を使って書いたからといって和が確定するわけではない。このような無限個の和のことを級数（または無限級数）という。その和が ∞ になる場合は，∞ に発散するという。一方，

$$1 + \frac{1}{2} + \frac{1}{4} + \frac{1}{8} + \cdots + \frac{1}{2^n} + \cdots = \sum_{k=1}^{\infty} \frac{1}{2^{k-1}}$$

の場合は，公比が $1/2$ の等比数列の和であるから，2 という値に収束する（2 という値に限りなく近くなるということ）。

したがって，$\sum$ で簡潔に表現することで，無限級数の長ったらしい表現を避けることはできるが，その一方で，その値が確定しているようには扱えないという難点がある。

すでに述べたように，値が確定する場合（収束）と発散する場合があるので，次のように考える。

$$a_1 = s_1, a_1 + a_2 = s_2, a_1 + a_2 + a_3 = s_3, \cdots,$$
$$a_1 + a_2 + a_3 + \cdots + a_n = s_n \qquad （*：61 ページ再出）$$

とおいてできる数列 $\{s_n\}$ がある値に収束する，つまりその極限 $\lim_{n \to \infty} s_n$ が確定するとき，それをこの級数 $\sum_{k=1}^{\infty} a_k$ の値とする。$\lim_{n \to \infty} s_n = \sum_{k=1}^{\infty} a_k$ ということである。そうでない場合を，発

散するという。

$$\sum_{k=1}^{\infty} \frac{1}{2^{k-1}} = 1 + \frac{1}{2} + \frac{1}{4} + \frac{1}{8} + \cdots + \frac{1}{2^n} + \cdots$$

では，

$$s_n = \sum_{k=1}^{n} \frac{1}{2^{k-1}} = \left\{ 1 - \left(\frac{1}{2}\right)^n \right\} \Big/ \left(\frac{1}{2}\right)$$

なので，

$$\lim_{n \to \infty} s_n = \lim_{n \to \infty} \left\{ 1 - \left(\frac{1}{2}\right)^n \right\} \Big/ \left(\frac{1}{2}\right) = 2$$

であるから，

$$\sum_{k=1}^{\infty} \frac{1}{2^{k-1}} = 2$$

となる。

一方，$\sum_{k=1}^{\infty} k = 1 + 2 + 3 + \cdots + n + \cdots$ では，$s_n = \sum_{k=1}^{n} k = n(n+1)/2$ なので，

$$\lim_{n \to \infty} s_n = \lim_{n \to \infty} n(n+1)/2 = \infty$$

である。ただ，収束しないからといって，∞ になるとは限らないので注意しなければならない。

$$1 - 1 + 1 - 1 + \cdots + (-1)^{n-1} + \cdots = \sum_{k=1}^{\infty} (-1)^{k-1}$$

の場合は，

$$1 = s_1, \quad 1 - 1 = 0 = s_2, \quad 1 - 1 + 1 = 1 = s_3,$$
$$1 - 1 + 1 - 1 = 0 = s_4, \cdots$$
$$1 - 1 + 1 - 1 + \cdots + (-1)^{n-1} = s_n = 1 \ (n \ が奇数)$$
$$= 0 \ (n \ が偶数)$$

この数列 $\{s_n\}$ は，$+1$ と -1 を交互に繰り返すので，値が

確定しない。したがって，この級数も発散するという。しかし，この式を，

$$\sum_{k=1}^{\infty}(-1)^{k-1}$$
$$= 1-1+1-1+\cdots$$
$$+(-1)^{n-1}+\cdots$$
$$= (1-1)+(1-1)+\cdots$$
$$+(1-1)+\cdots$$

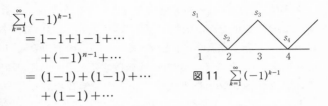

図 11 $\sum_{k=1}^{\infty}(-1)^{k-1}$

と考えると，$0+0+0+\cdots+0+\cdots$ となって，$=0$ ではないか。だが，これは，$1-1=0=s_1, 1-1=0=s_2, 1-1=0=s_3, 1-1=0=s_4, \cdots$ という数列を考えていることになるので，59 ページで述べた級数の意味（＊）に違反するのである。

18 世紀にはまだ級数の収束性に対してそれほど注意が払われていなかった。実は，上の式は $1/(x+1)$ の級数展開 $1-x+x^2-x^3+\cdots$ に $x=1$ を代入したときにでてくる級数だが，偉大な数学者であるライプニッツですらこれを間違えて $1/2$ としている。

ようするに，級数の場合は無限個の足し算なので，足し方のルールをはっきりさせなければならないということである。勝手に足し方の順序を変えたり，括弧をつけたりはできない。

もっとも規則的で単純なものは，等差級数とか等比級数であるが，前者は初項＝公差＝0 以外の場合は発散する，後者は公比の絶対値が 1 未満か 1 以上かで収束と発散に分かれる。

積分も無限級数であるし，関数の展開も無限級数である。数学ではこのように無限級数が頻繁に出てくるから，級数の

収束とか発散ということが大問題になる。したがって、級数の収束発散に関するいろいろな判定条件が知られている。

例えば、ダランベールの判定条件というのがある。これはすべての項が正である級数（正項級数）$\sum_{n=1}^{\infty} a_n$ において、各 n について $a_{n+1}/a_n \leqq r < 1$ となる r があれば収束し、$a_{n+1}/a_n \geqq r > 1$ となる r があれば発散する、というものである。ダランベールは 18 世紀フランスの数学者である。

しかし、$s(s>1)$ を任意の実数として、級数 $\sum_{n=1}^{\infty} 1/n^s$ を考えると、ダランベールの判定条件からはこの級数の収束性を判定できない。オイラーは、この級数と素数 p に関する次の等式を発見した。

$$\prod_p \frac{1}{1-p^{-s}} = \sum_{n=1}^{\infty} \frac{1}{n^s}$$

この左辺はオイラー積と呼ばれる（$\prod$ は掛け算の省略記号であり、すべての素数について積をとることを示す）。リーマンは s が複素数の場合にこの右辺の級数を研究した。これはリーマンの ζ（ゼータ）関数と呼ばれ、

$$\zeta(s) = \sum_{n=1}^{\infty} \frac{1}{n^s}$$

と表記される。リーマンはドイツが生んだ 19 世紀の偉大な数学者の一人である。

第 12 章

lim

気難しい恋人との付き合い方

lim は，極限を示す英語 limit の略記号である。略といっても it しか省略されていないが……。

この記号は単独で使われることはなく，→ を伴って，$\lim_{n \to \infty}$ とか $\lim_{n \to 0}$ のように書かれる。これは，「n が限りなく大きくなる」，「n は限りなく 0 に近くなる」という意味であるが，lim と単独で使われることはなく，$\lim_{n \to \infty} \dfrac{1}{n+1}$ のように使われる。つまり，数列 $a_n = 1/(n+1)$ を考えたときに，n を大きくすれば，この数列の遠い将来はどうなるかを表す際に，$\lim_{n \to \infty} \dfrac{1}{n+1}$ と表記する。

たんに「n が限りなく大きくなる」とか「n は限りなく 0 に近くなる」ということを表記するだけであれば，$n \to \infty$ とか $n \to 0$ のように → だけを用いる。無限大 (∞) は限りなく大きいということを示している記号なので，数ではなく，通常は $n = \infty$ といった

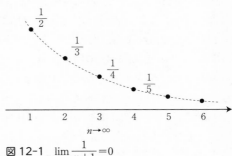

図 12-1　$\lim_{n \to \infty} \dfrac{1}{n+1} = 0$

書き方はしない。

$\lim\limits_{n \to \infty} \dfrac{1}{n+1} = 0$ の意味するところは，「n が限りなく大きくなれば，$1/(n+1)$ は限りなく 0 に近づく」ということである。「限りなく」というのは，非常にあいまいで数学的でないではないか，という人もいるかもしれないが，$n = \infty$ とはならないし，$1/(n+1)$ もどんなに n を大きくしても，最終的に 0 になったりすることはないから，このようにしかいえないのである。

もっとも，「限りなく近づく」という数学的な表現がないわけではない。今日ではその方法を用いている。

もちろん，数列以外に，関数 $f(x) = 1/(x-2)$ に対して，$\lim\limits_{x \to 0} f(x)$ とか $\lim\limits_{x \to 0} \dfrac{1}{x-2}$ といった具合に用いる。このような表記は，関数の連続性を考えるときやこの関数の概形を知りたいときによく用いられる。

数学は白黒はっきりするものだと思っている人にとっては，$x = 0$ のときに $1/(x-2)$ に代入して $-1/2$ だとすれば済むことだから，このすっきりしない表現にはいらだたしさを覚えるかもしれない。

確かに，$\lim\limits_{x \to 0} 1/(x-2)$ の場合のように，$\lim$ は「x が 0 に限りなく近づく」のだから，$1/(x-2)$ に $x = 0$ を代入して $-1/2$ としてもなんら問題のないことである。

しかし，$\lim\limits_{x \to 2} 1/(x-2)$ の場合には，$x = 2$ とすると分母が 0 になるので，数学のルールではできない相談である。したがって，「x が限りなく 2 に近くなる」という表現をするしかなく，$x = 2$ を代入して $1/0 = \infty$ とするわけにはいかない。x を 2 より小さいほうから 2 に近づけると——実際数値を入れて少し計算してみればわかるが——負の無限大（$-\infty$）とな

る。ところが x を 2 より大きい方から 2 に近づけると正の無限大 ($+\infty$) となる。式で書くと,

$$\lim_{x \to 2} \frac{1}{x-2} = \pm\infty$$

である。

　無限大は数ではないので $x=\infty$ とは書かないが,これは「x が 2 に限りなく近くなると $1/(x-2)$ の将来はどうなるか」ということなので,「限りなく大きくなる」とか「限りなく小さくなる」という答えは正答であり,$=\infty$ や $=-\infty$ と表記してもよい。

　極限を考えるときに大切なことは,この場合のように,近づき方でその将来が一変してしまうということである。ちょうど,デリケートで気難しい恋人に接するように,ときには遜って,ときには威厳をもって接することで結果が違ってくるのと同じである。

　この場合は,$x \to 2$ とせずに下から近づける場合と上から近づける場合で $x \to 2-$ や $x \to 2+$ のように異なった表記をする方がよい。

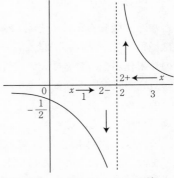

$$\lim_{x \to 2-} \frac{1}{x-2} = -\infty$$

$$\lim_{x \to 2+} \frac{1}{x-2} = +\infty$$

数学の表記は例外のな

図 12-2　$x \to 2-$ と $x \to 2+$ の違い

い一般的な表記であるから，ルールに従っている限り考え方は自由なので，lim の表記は「……に近づく」という近づき方を込めて，そのまどろっこしい表現を一手に引き受けているということになる。そうすることで，この極限をとるという操作が算術化されるというメリットも生じる。

つまり，この lim の表記を用いれば，収束する数列 $\{a_n\}$，$\{b_n\}$ があるとき，それらを足した数列の極限はそれぞれの数列の極限の足し算になるし，引き算はやはり極限の引き算になり，掛け算，割り算なども同様に行える。つまり，

$$\lim_{n \to \infty} a_n = A, \quad \lim_{n \to \infty} b_n = B$$

ならば，

$$\lim_{n \to \infty} (a_n \pm b_n) = \lim_{n \to \infty} a_n \pm \lim_{n \to \infty} b_n = A \pm B$$

$$\lim_{n \to \infty} (a_n \times b_n) = \lim_{n \to \infty} a_n \times \lim_{n \to \infty} b_n = A \times B$$

$$\lim_{n \to \infty} (a_n / b_n) = \lim_{n \to \infty} a_n / \lim_{n \to \infty} b_n = A / B \quad (B \neq 0)$$

となる。微分も積分もともに極限を考えることなので，lim は微積分学ではなくてはならないものだが，このような lim の算術化がその発展に大いに貢献したのである。

数列の収束の数学的定義を与えたのは，19 世紀初頭のチェコのボルツァーノであり，それを普及させたのはフランスのコーシーである。

彼らは，数列 $\{a_n\}$ が A に収束する（$\lim_{n \to \infty} a_n = A$）ということを次のように定義したのである。

　　任意に正の数 ε を与えたとき，ある番号 N があって，$n \geqq N$ となるすべての番号 n に対して $|a_n - A| < \varepsilon$ とできる

lim という記号は，スイスのリュイリエの本（1786 年）で初めて使われた。最初の頃は $n \to \infty$ ではなく，$n = \infty$ と書かれており，$=$ が $\to$ に代わるのは，20 世紀に入ってからである。もっとも，19 世紀から 20 世紀にかけて活躍したイギリスのハーディは $\lim\limits_{n \to \infty} \dfrac{1}{n} = 0$ のように，今と同じ書き方をしている。

dy/dx
微分の生い立ち

f' や dy/dx は微分の記号である。

微分は 17 世紀にイギリスのニュートンとドイツのライプニッツによって独立に発見された。dy/dx はライプニッツによって導入された微分の記号で，$f'(x)$ はその後のフランスのラグランジュによって使われた微分の記号である。19世紀初頭に解析学の基礎を築いたフランスのコーシーは，この両方を用いている。

物理などでよく用いられる $\dot{x}$ は，ニュートンの微分の記号である。ニュートンは物体の運動を取り扱っていたので，微分（differential）といわずに流率（flux）と呼んだ。微分と呼んだのはライプニッツであり，微分を幾何学的で純数学的に考えた。

微分を理解するには，距離と時間と速さの関係を考えるとよい。

自動車などはスピードメーターで速さが表示されるので，速さのほうが先にある感覚もあるが，速さは距離と時間から作り出される概念である。速さは，（距離）÷（時間）として算出される。スピード違反の取り締まりの計測器の原理は，ある一定の短い時間走った距離を測定して表示している。

いま，車が走っているものとして，ある時刻 a から h 時間

走って，地点 P から Q まで移動したとしよう。距離は時間の関数なので，時間を t で表し，走った距離を関数 $x(t)$ と表記することにする。そうすれば，時刻 a の地点 P が $x(a)$ であれば，時刻 $a+h$ での地点 Q は $x(a+h)$ である。このとき，距離÷時間＝$\{x(a+h)-x(a)\}/h$ は，平均速度といわれるものである。そこで，点 P を通過した瞬間の速度を求めたいならば，この時間 h を小さくすればいいだろう。つまり，$h\to0$ としたときの $\{x(a+h)-x(a)\}/h$ の値が，点 P，つまり時刻 a における瞬間のスピードになるはずである。

　これを関数 $x(t)$ の $t=a$ における微分といい，$(\mathrm{d}x/\mathrm{d}t)_{t=a}$ とか，$x'(a)$ で表記し，微分係数ともいう。

　現代的な記号を用いれば，次のようになる。

$$\lim_{h\to0}\frac{x(a+h)-x(a)}{h}=\left(\frac{\mathrm{d}x}{\mathrm{d}t}\right)_{t=a}=x'(a)$$

このように，ある瞬間の速度を出そうとするときに微分が出てくる。距離の関数を $t=a$ で微分した $(\mathrm{d}x/\mathrm{d}t)_{t=a}$ が，瞬間の速さである。微分は決して難しい概念ではなく，割り算（または比）の極限というシンプルな概念である。もっとも，h を0にすれば，$x(a+h)-x(a)$ も 0 になり，この割り算は 0/0 となってしまうように思える。

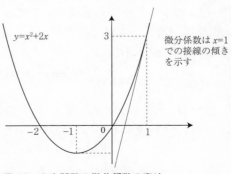

図13　2次関数の微分係数の意味

（図中）$y=x^2+2x$　　3　微分係数は $x=1$ での接線の傾きを示す

確かにその意味では，いつもうまくいくわけではなく，微分ができない場合もある。

　また，微分と積分は互いに逆であるから，速さを積分すれば距離がわかるということになる。このようなことから，微分は割り算で，積分は掛け算であるといわれる。

　一般に，関数は $y=f(x)$ と表記される。

　$y=f(x)=x^2+2x$ のとき，$x=1$ での微分係数は，

$$f(1+h)-f(1) = (1+h)^2+2(1+h)-(1^2+2\cdot1)$$
$$= h^2+4h$$

なので，

$$\left(\frac{dy}{dx}\right)_{x=1} = f'(1) = \lim_{h\to0}\frac{f(1+h)-f(1)}{h}$$
$$= \lim_{h\to0}(h^2+4h)/h = \lim_{h\to0}(h+4)$$
$$= 4$$

となる。$x=1$ という具合に特定の点を指定せずに，x からの増分 h とそれに対応する関数の増分 $f(x+h)-f(x)$ の割り算 $f(x+h)-f(x)/h$ の極限を，x での微分という。これは，x の関数になるので，導関数とも呼ばれ，dy/dx とか $f'(x)$ と表記される。

$$\frac{dy}{dx} = f'(x) = \lim_{h\to0}\frac{f(x+h)-f(x)}{h}$$

　$y=f(x)=x^2+2x$ とすれば，

$$f(x+h)-f(x) = (x+h)^2+2(x+h)-(x^2+2x)$$
$$= h^2+2hx+2h$$

だから，

$$\frac{\mathrm{d}y}{\mathrm{d}x} = f'(x) = \lim_{h \to 0} \frac{f(x+h) - f(x)}{h}$$

$$= \lim_{h \to 0} (h^2 + 2hx + 2h)/h = \lim_{h \to 0} (h + 2x + 2)$$

$$= 2x + 2$$

$x=1$ での微分を求めるにも，前者のようにせず，後者のような導関数を求めて，$x=1$ を代入するほうが便利である。

もちろん，いちいちこの定義式に従って微分をしていたのでは大変だから，基本的な関数 $y=x^n, y=\log x, y=\sin x$, $y=\cos x, y=e^x$ の微分は覚えておいたほうが便利である。数学は暗記ではないが，必要最小限の基本的なことはやはり覚えておくほうが能率的である。いちいちレシピを見て料理を作っていたのでは，料理ができ上がったときには腹が空きすぎているかもしれないからである。

いま述べた増分を示す記号として $\varDelta x, \varDelta y = f(x+\varDelta x) - f(x)$ が使われる。この記号を用いれば，次のようになる。

$$\frac{\mathrm{d}y}{\mathrm{d}x} = f'(x) = \lim_{\varDelta x \to 0} \frac{f(x+\varDelta x) - f(x)}{\varDelta x}$$

$$= \lim_{\varDelta x \to 0} \frac{\varDelta y}{\varDelta x}$$

ところで，このことから $\varDelta x$ が非常に小さいところでは $f'(x) \fallingdotseq \dfrac{\varDelta y}{\varDelta x}$（$\fallingdotseq 0$ は，0 に近いという記号）になるので，次の式を得る。

$$\varDelta y \fallingdotseq f'(x)\varDelta x$$

このことは，$\varDelta x$ を 0 とした極限での表記において，$\mathrm{d}y = f'(x)\mathrm{d}x$ であることを意味している。したがって，$\mathrm{d}y/\mathrm{d}x = f'(x)$ と $\mathrm{d}y = f'(x)\mathrm{d}x$ は同じことなのである。

これが，$\mathrm{d}y/\mathrm{d}x$ をあたかも分数のように取り扱ってよいこ

との理由である。このような性質が，微分法の威力の一つでもある。

　特に，合成関数の微分等は分数の掛け算と同じ演算である。

　$y=(x^2+1)^{10}$ のような関数の場合は，まず $x^2+1=t$ とおく。そうすれば t は x の関数になる。このように t を介在させると，$y=t^{10}$ となる。t を x で微分するのは簡単だし，また，y を t で微分するのも簡単である。このように複雑な関数は，より簡単な関数に分解して考えることが大切である。どんな天才登山家でも，険しい山をいきなりは登れない。

　そこで，t は x の関数なので x で微分すると，

$$\frac{\mathrm{d}t}{\mathrm{d}x} = 2x$$

　また，y は t の関数なので t で微分すれば，

$$\frac{\mathrm{d}y}{\mathrm{d}t} = 10t^9$$

　このとき，微分は分数計算のように考えればよいとすれば，

$$\frac{\mathrm{d}t}{\mathrm{d}x} \cdot \frac{\mathrm{d}y}{\mathrm{d}t} = \frac{\mathrm{d}y}{\mathrm{d}x}$$

となるであろう。

　したがって，

$$\frac{\mathrm{d}y}{\mathrm{d}x} = \frac{\mathrm{d}t}{\mathrm{d}x} \cdot \frac{\mathrm{d}y}{\mathrm{d}t} = 2x \times 10t^9$$

$$= 20x(x^2+1)^9 \quad (\text{上式に } t=x^2+1 \text{ を代入した})$$

となる。

　全く同じように，分数計算的に扱えば，

$$\frac{\mathrm{d}y}{\mathrm{d}y} = \frac{\mathrm{d}x}{\mathrm{d}y} \cdot \frac{\mathrm{d}y}{\mathrm{d}x}$$

が成り立つ。左辺は $\mathrm{d}y/\mathrm{d}y = 1$ なので，

$$\frac{\mathrm{d}x}{\mathrm{d}y} = \frac{1}{\mathrm{d}y/\mathrm{d}x}$$

となる。

　ほとんどの科学的現象は微分の記述を必要とする。なぜなら科学は，時間によって膨張したり，収縮したりするようなものを扱うことが多く，その膨張の速度が微分だからである。ニュートンは，天体の動きの運動の方程式（微分方程式）を立てて，それを解いて天体の運動や軌道を知ろうとした。

　微分は積分よりも歴史が浅いが，微分も決してニュートンやライプニッツが最初というわけではなく，その考え方の萌芽はそれ以前からあった。実際，与えられた曲線に接線を引く方法や極値を求める問題は古い時代から存在した。17 世紀のフランスの数学者のフェルマーは，微分に近いところまできていたし，ニュートンの師であるイギリスのバーロウは微分の概念に達していた。その意味では，微分の創設者はバーロウだともいわれている。

　しかし，ここで重要なことは，ニュートンは微分と積分がお互いに逆の関係にあることを幾何学的な観察から見出したということである。ニュートンにとっては，このことは天体の運動の軌道を求めるためにも，自分の古典力学を確立するためにもどうしても必要なことであった。この関係が見出されなければ，方程式（微分方程式）は立っても，それを解くことができず，微分はその威力を発揮せずに表現形式のままで終わってしまったであろう。

第 **14** 章

$\int$
塵も積もればインテグラる

$\int$ は積分の記号であり，ラテン語の和 summa の頭文字 s である。この記号の発明者はライプニッツである。そもそも積分とは面積や体積を求めること（求積）である。求積はかなり古い時代からの関心の的であり，積分の概念は微分よりはるかに早く生まれた。

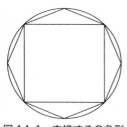

図 14-1　内接する多角形

古代ギリシャのアルキメデスは「取り尽くし法」とか「すだれ論法」といわれる方法で，放物線と直線で囲まれた図形の求積を行っている。すだれ論法は，天秤の原理を使うもので，いわゆる釣り合いという方法である（村田全『日本の数学　西洋の数学』〈ちくま学芸文庫〉を参照）。

一方，取り尽くし法は，曲線で囲まれた部分の面積を内接する多角形で近似していく方法である（円の面積を内接する多角形の面積で近似することを思い浮かべればよい。このような円の場合を最初に考えたのは紀元前 5 世紀頃の古代ギリシャのアンティポンという人らしい）。

ただ，この時代は，まだ極限の概念がないので無限の扱い

はせずに，アルキメデスの原理と呼ばれる原理を用いて背理法で証明している。アルキメデスの原理とは，任意の数 a と任意の正の数 b に対してある適当な自然数 n があって，$nb > a$ とできることをいう。

　しかし，求積の飛躍的展開はケプラーの時代まで待たなければならない。ケプラーは 16 世紀後半から 17 世紀にかけて活躍した天文学者である。

　ある日ケプラーは，ブドウ酒を購入しようと考えたが，樽（たる）の容積の量り方に不満を持った。そうして樽の容積を量るのに，アルキメデスが用いた「取り尽くし法」の原理を発展させたといわれている。飲み物の恨みは恐ろしい。数学者には酒の好きな人が多いので，居酒屋は要注意である。

　ケプラーの方法は，現在小学校の算数の教科書にある円の面積の求め方に似ている。円をその中心を頂点とする小さな扇形に分割し，それを互い違いにくっつけて，長方形に近い

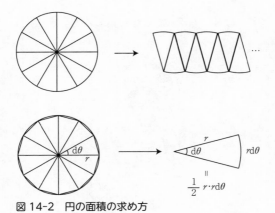

図 14-2　円の面積の求め方

形にして長方形の面積として説明するものである。

　このような細い扇形の擬似三角形の面積を寄せ集めたものが円の面積だと考えて，円弧を直線（弦）で近似する。そして，それを限りなく小さくすれば，そのような二等辺三角形の面積の総和はほぼ円の面積になるが，これと同じような考え方をしたのがケプラーである。このように，ある図形の面積や体積を求めるには小さな既知の図形（三角形や長方形）の面積の総和として考えるので，その総和（sum）の s を記号化して $\int$ を用いている。

　非常に乱暴ないい方をすれば，半径 r の円の場合，微小な中心角 $d\theta$ に対する円弧 $rd\theta$ と半径 r とを用いてその三角形の面積は，ほぼ $\frac{1}{2}(r \cdot rd\theta)$ となる。

　この三角形の面積をすべて足せばいいわけであるから，中心角 $d\theta$ を 0〜2π まで寄せ集めたものを次のように表す。

$$\int_0^{2\pi} \left(\frac{1}{2}\right)(r \cdot rd\theta)$$

　（$\int_0^{2\pi}$ は 0 から 2π まで寄せ集めるということ）

そして，次のようにして，円の面積 πr^2 が求まる。

$$\int_0^{2\pi} \frac{1}{2}(r \cdot r\mathrm{d}\theta) = \frac{1}{2}r^2 \int_0^{2\pi} \mathrm{d}\theta$$

（r は寄せ集めに関係しない定数なので）

$\int_0^{2\pi} \mathrm{d}\theta$ は，$\mathrm{d}\theta$ を $0 \sim 2\pi$ まで寄せ集めることなので 2π であるが，今日的に書けば，

$$\int_0^{2\pi} \mathrm{d}\theta = [\theta]_0^{2\pi} = 2\pi - 0 = 2\pi$$

となる。よって，

$$\frac{1}{2}r^2 \int_0^{2\pi} \mathrm{d}\theta = \frac{1}{2}r^2[\theta]_0^{2\pi} = \pi r^2$$

となる。

実際には，円弧を小さくすれば点になり，極限的には面積のない線（半径）の無限の集まりになるのだから，このような方法が常に正しいかどうかは何ともいえない。これに厳密な数学的裏づけを与えるには極限の概念が定式化される 19 世紀まで待たねばならないのだが，ケプラーはそれ以前に知られていた結果がこの方法で求まることを確かめてから，球の体積やブドウ酒樽の体積などにこの方法を適用している。

その後，イタリアのカバリエリがこの考えを別の方法で置き換えて，曲線で囲まれた部分の面積や体積を求めること，つまり積分を発展させることになる。カバリエリは，不可分者という概念を導入して，「カバリエリの原理」と呼ばれる方法を考えた。

カバリエリの原理とは，例えば，底辺が同じ直線上にある二つの三角形を考えたときに，それと平行な直線で切り取ら

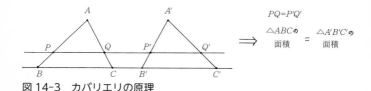

図14-3　カバリエリの原理

れるこの二つの三角形の線分の長さが等しいことが，どの高さの平行線についてもいえるならば，この二つの三角形の面積は等しい，というものである。

　つまり，三角形の面積を線分の集まりとみて，対応する長さがそれぞれ等しければ面積も等しいとする考え方である。この線分が不可分者である。これが近代の積分の発展に繋（つな）がったといえる。

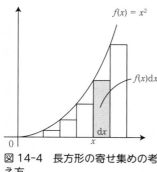

図14-4　長方形の寄せ集めの考え方

　この不可分者の考えは，現在の積分の表記 $\int f(x)\mathrm{d}x$ でいえば，$f(x)\mathrm{d}x$ の部分に対応しているといえる。実際，$f(x)=x^2$ とすれば $x^2\mathrm{d}x$ は，底辺が $\mathrm{d}x$ で高さが x^2 の長方形のことなので，$\mathrm{d}x$ が限りなく小さければこの長方形は線になってしまうが，積分はこのような矩形（く・けい）（長方形）の面積を寄せ集めたものと考えるのである。カバリエリは，この計算の $x=0$ から $x=1$ までをその原理を用いて幾何学的に解き，さらに推し進めて次の式を導いている。

$$\int_0^1 x^n \mathrm{d}x = \frac{1}{n+1}$$

　カバリエリの後に，ガリレイの弟子であるイタリアのトリ
チェリーやフランスのフェルマーがこの方法で，回転体や多
項式で表される図形の求積を行った。現代の積分の表記
$\int f(x)\mathrm{d}x$ はフェルマーによる。

　このように，積分は求積という幾何学的な観点から発展し
たのであるが，その後ニュートン，ライプニッツの時代に，
本格的に微分が導入され，微分を使って天体の運動を記述す
る微分方程式が考えられるようになると，その方程式を解く
過程で積分は微分の逆演算であることが発見された。こうし
て，求積という幾何学的な観点を超えて，積分は非常に重要
な数学的概念となったのである。めでたし，めでたし。

第 15 章

△, ▽
記号は体を表す

△ は形そのものが記号化された例で，もちろん三角形を示しているが，通常は単独で用いられることはなく，△ABC のように使用される。幾何学で用いられる記号はこのような象形記号のものが多いが，使われ始めたのは中世やルネッサンス以降である。長方形 □，円 ○，角 ∠，⊿ なども用いられる。⊿ の記号はその形が意味する通り，直角三角形を示すのに用いられたが，近年ではほとんど用いられていない。

1 世紀頃の古代ギリシャの数学者であるヘロンは，三角形に ▽ という記号を用いている。もっとも，△ は古代ギリシャでは数字の 10 を意味していたから，三角形の記号として普及しなかったとも考えられる。その後，16 世紀になってからフランスの数学者のエリゴンなどが △ を使うようになった。

高校までにでてくる幾何学は，ユークリッド幾何学と呼ばれるもので，紀元前 3 世紀頃に古代ギリシャのユークリッド（エウクレイデス）によって書かれたとされる『原論』にもとづいている。これは，13 巻からなる。第 1 巻～第 4 巻と第 6 巻が平面幾何学で，第 1 巻は，23 の定義（definition，数学的約束ごと）と五つの公準（postulate，あたり前だと認められることがら），五つの公理（axiom，運用の規則）から平面に関する 48 個の定理を演繹的に導いている（演繹的とは一般

的な定義や公理から始めていろいろな定理を導くことをいう。演繹的の逆は帰納的である）。

　このユークリッドの原論は世界で聖書につぐロングセラーである。古代の幾何学においては，ギリシャ文字やアルファベット文字や図形は出てくるが △ や ∠ などの記号は皆無といってよい。

　歴史が古いはずの幾何学において記号化が遅れたのは，幾何学では数を直接的に扱う計算の伴うものと違って，証明が主に言葉でなされていたからであり，また，三つの文字 ABC を書けば三角形と理解するのは簡単なので，ことさら三角形 ABC を $\triangle ABC$ と書く必要がなかったからと考えられる。一方では印刷機の発達がなく，多分に口述伝承的な性格を帯びた継承の仕方を反映しているということも考えられる。

　ユークリッドの原論の中には，三角形の内角の和は平角（180°）であることとか，三角形の合同の条件なども出てくるが，180° などの量の表現や合同という言葉がない。

　47 番目の定理が有名なピタゴラスの定理で，最後の 48 番目がその逆である。中学校の幾何学の目標はここに置かれている。ピタゴラスの定理は高等学校で学習する三角関数につながっていく大切な定理であることもその理由であろう。

　△, ▽ の記号は図形以外にも用いられ，解析学で用いる場合は，微分の変数 x の増分を $\triangle x$ で表記する（△ や ⊿ などが使用される）。また，ラプラシアンという微分作用の記号としても用いられる。▽ は関数の勾配ベクトルを示す記号や，微分幾何学という分野で接続（ある種の微分）を示す記号として用いられる。

　このように，△ や ▽ は使い勝手のいい，貴重な記号である。

∽, ∝

相似は繰り返す……

　∽ は相似の記号で，英語 similar の s からきたといわれている。見ればわかる通り s を横にしただけである。△ABC と △DEF は相似である，というのを △ABC∽△DEF のように表記する。この相似の記号は 17 世紀のライプニッツの発明らしい。ライプニッツは ～ と ∽ のどちらも相似の記号に用いている。一方，イギリスのオートレッドはライプニッツよりも前の人だが，～ と ∽ のどちらも差の記号に用いている。引き算（subtraction）の英語の頭文字は s なので，同じような記号が用いられても不思議はない。

　∝ は a∝b のように用いられ，a は b に比例するということを示す記号である。したがって，∝ は形の比較を表すものではない。

　相似という概念は，古代から非常によく用いられた。古代は天体の観測などが盛んだったこともあり，三角比（sin, cos, tan）が考え出されたが，これも相似がもとになっている。相似とはよく似ているということであるから，合同よりは頻繁に見かける。だが，相似を数学的に表現しようとすると結構やっかいである。

　例えば，二つの多角形が相似であるとは，
「二つの多角形において，その対応する頂角（頂点での角）

が等しく，また，対応する辺の比が一定である」
ということである。

　ところが，二つの三角形が相似の場合はかなり単純である。
「二つの三角形の対応する二つの角が等しければ相似である」

　また，対応する辺の比が一定であればやはり相似である。

　ところが，一般の図形では対応する角が等しくても相似ではないから，上のようなややこしい定義になる。実際，正方形と縦と横の長さの違う長方形を考えてみれば，角はどこも等しいが，普通の言葉の上でも相似とはいえない。

　一方，どのような円もすべて相似といえるが，多角形の相似のようないい方が通用しない。したがって，別のもっと一般的な定義を用意する必要がある。

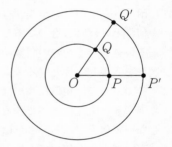

$$OP : OP' = OQ : OQ'$$

　実は，二つの図形が相似であるときは，相似の中心と呼ばれる点 O が定まって，O から出る半直線がこの二つの図形の点 P と P' で交わるとき，比 OP/OP' がどのような半直線の場合でも常に一定となる。逆にこのような点 O が存在すれば二つの図形は相似ということになる。円の場合はその中心をこのような点 O として選ぶことができる。

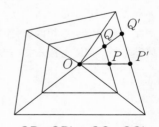

$$OP : OP' = OQ : OQ'$$

図 16-1　相似の中心

そうすれば中心 O から出た半直線が交わる二つの点の長さの比は常に半径の比に等しくなり，相似ということになる。

この相似という関係は，＝ と同じ原理である同値関係を満たしている。同値関係とは三つの性質（反射律，対称律，推移律）からなる。したがって，二つの相似な図形を「同じ」とみなす幾何学があってもよい。このような原理で図形の性質を調べていく幾何学を相似幾何学という。

植物でも生物でも同様で，世代交代しても形は似ている。自然界には相似で表されるものが非常に多いが，自然界の形が「自己相似」という概念でできているというのが 1970 年代にポーランドのマンデルブロによって提唱されたフラクタル幾何学と呼ばれるものである。コンピュータの力によって，ある単純ないくつかの関数の繰り返しで自然界の複雑な形や図形を表現しようとする考え方である。

その一方で，相似な図形は必ず合同になってしまうという幾何学も考えることができる。つまり相似な図形が全く存在しない幾何学である。これは双曲幾何学と呼ばれるユークリッド的でない幾何学である。こう見てくると数学というのは実際の現象への解釈を正当化するための一つの道具であるということがわかるであろう。数学という世界は，相似な図形がない幾何学から相似なものばかりでできていると考える幾何学まで，何でも揃っている世界なのである。

第 **17** 章

⊥, ∠, ∥
三角形の内角の和は 180° か

　これらの記号はもともと幾何学で使われる記号であり，形そのものが示す性質からきている。

　⊥ は二つの直線が直交する（垂直に交わる）という記号である。これは，水平な線が一本の直線を表し，縦の線がそれに垂直なもう一本の直線を示していると考えればよい。二つの直線 m, n が垂直に交わるとき，$m \perp n$ と表現する。

　また，∠ は二つの直線の作る角を示している。これも，水平な直線とそれとある角度を持ったもう一本の直線が書かれていると考えればよい。三角形 ABC があるときに，$\angle A$ とか $\angle ABC$ などと表記される。特に，直角（right angle）のときは，その頭文字を使って $\angle R$ と表される。

　同様に，∥ は二本の直線が平行であることを示している。二本の直線 m, n が平行であるというのを $m \parallel n$ と表す。これらの記号は，ベクトルの場合にも用いられる。ベクトルというのは，大きさと方向を持った量のことである。

　小学校，中学校，高校で習うユークリッド幾何学はすでに紀元前 3 世紀頃には完成されていたのであるが，そこでの説明や証明はすべて言葉でなされており，上のような記号はほとんど使われていない。

　△, ⊥, ∟, ∠, ○, □, ∽, ⌒ などの中にはルネッサンスの時

代に考えられたものもあるが，本格的に使われるようになったのは 17 世紀以降である。16 世紀後半から 17 世紀にかけて代数学での記号の使用が普及するにつれて，幾何学の証明でも言葉で書くよりは記号を使うことの簡単さや便利さが認識されたと考えられる。それでも最近では，証明を面倒くさがる子供たちが増えているというのだからなかなか大変な時代である。

17 世紀にエリゴンは，ピタゴラスの定理の証明で ⊥ や ∠ の記号を用いた。彼は ⊥ を垂直の記号に，∟ を直角の記号に用いた。平行の記号 = は，3 世紀の古代ギリシャの数学者パップスがすでに使っている。エリゴンも = を平行の記号として用いているが，イギリスのレコードが発明した等号 = がヨーロッパにも広がり始めていたこともあり，= ではなく ∥ が平行の記号として用いられるようになった。オートレッドは ∥ を用いているが（1677 年の本），一般的に普及するのは 18 世紀以降である。日本では斜めの ∥ である。

さきほども述べたが，現在学校教育で習う幾何学はユークリッドの幾何学である。ユークリッドによる 13 巻からなる『原論』の第 1 巻の平面幾何で 23 の定義と五つの公準と五つの公理から 48 の定理（命題）を導いているが，その 47 番目はピタゴラスの定理で 48 番目がその逆である。この五つの公準は次のように書かれている。公準とは，証明なしに認める要請である。したがって，この幾何学を適用する場合は，この五つが成立していることを証明なしに認める必要がある。

(1) 二点を結ぶ線分は一本あって一本に限る

(2) 線分はその両端にいくらでも延長できる

(3) 二点が与えられた時に，その一点を中心とし，もう一

つの点を通る円をただ一つ書くことができる

(4) 直角はすべて等しい

(5) 二本の直線とそれに交わる直線があったとき，そのなす角度が二直角より小さいならばこの二本の直線はこの小さい側で交わる

　紀元前にできたこの幾何学は，その後，2000 年近くもこの第五番目の公準を巡る論争が展開された。それは最初の四つの公準と違って，この (5) は (1)〜(4) を用いて証明できるのではないかと考えられたからである。

　(1) から (4) を使えば，直線とそれ以外の一点 A が与えられたときに，A を通ってこの直線に平行な直線を引くことはできる。しかし，それが何本引けるかどうかはわからないのである。(5) を使うと，そのような平行線はただ一本に限られることが示されるので，公準 (5) は直線とそれ以外の一点 A を通って，この直線に平行な線がただ一本存在するということと同じことである。

　もし，点 A を通る平行線が二本以上あれば，錯角が等しいといえないことは明らかであろう。したがって，一本に限るということから「平行線に他の直線が交わってできる錯角が等しい」というよく知られた定理が出てくる。さらに，このことから，三角形の内角の和が 180°に等しいことが示される。

　したがって，三角形の内

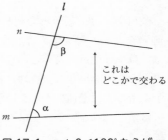

図 17-1　α＋β＜180°ならば m と n は交わる

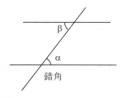

平行ならば錯角が等しい

図 17-2　錯角と三角形

角の和が 180° であるというのは，この公準（5）がないことには示せない。その意味では，三角形の内角の和が常に 180° であるという幾何学をやっているのがユークリッド幾何学といってもよい。つまり，内角の和が 180° ということ自体がこの幾何学の仮説なのである。

　第 5 公準を証明しようとする試みに終止符が打たれるのは 19 世紀になってからである。ハンガリーのボーヤイやロシアのロバチェフスキーが，非ユークリッド幾何学を発見したためである。つまり，（1）から（4）はそのままで，（5）の代わりに平行線が二本以上あるとした公準のもとで理論を展開しても何の矛盾も起きない幾何学を作ってしまったのだ。この幾何学では，三角形の内角の和は一定ではなく，180° より小さくなる。また，相似という概念が意味を持たず，相似な三角形はすべて合同になってしまう。

　幾何学には，三角形の内角の和が常に 180° より小さい幾何学も大きい幾何学も存在する。このことからわかることは，数学は絶対的真理というわけではなく，ある公準や公理のもとで導き出された真理に過ぎないということである。数学をやる人は融通のきかない頑固者みたいに思っている人もいるかもしれないが，実はもっとも自由な発想をしている人種ナノダ。

第 18 章
∴, ∵, iff, ⇔
茶畑は成長のあかし

　幾何学の証明に記号を導入したのは 17 世紀のフランスの数学者エリゴンとスイスの数学者ラーンである。

　∴ を「ゆえに」に用いたのはラーンで，1659 年の著書『代数』の中でだという。ただ，ラーンは ∵ も同じ意味に用いている。18 世紀には ∵ を「なぜなら」に用いてはいなかった。この二つが使い分けられるようになったのは，1827 年のケンブリッジ大学編集『ユークリッド原論』かららしいが，最近の中学校の教科書にはどちらの記号も出てこない。このような記号を使用することで，少しは成長した気分になれるものだが，今の子ども達にとって，自分の成長を実感できるこのような手段がないことは大きな問題だと感じる。これらの記号の使用は論理的な仕組みを知るためにも重要なものである。

　iff は，if and only if の省略形であり必要十分ということである。実際にはこの代わりに ⇔ という記号のほうがよく使われる。

　例えば，実数において $x^2+y^2+z^2=0$ であるための必要十分条件は $x=y=z=0$ であるというのを，記号化して

$$x^2+y^2+z^2 = 0 \quad \text{iff} \quad x = y = z = 0$$

とか，

$$x^2+y^2+z^2 = 0 \Leftrightarrow x = y = z = 0$$

とかいったように使われる。

数学の場合「必要条件だけど十分条件ではない」とか「十分条件だが必要条件ではない」とかいうが，ややわかりづらい。

例えば，x を実数とするとき，$x>0$ ならば $x^2>0$ である。このとき，$x>0$ は $x^2>0$ に対する十分な条件である。しかし，必ずしも必要な条件ではない，なぜなら $x<0$ でも $x^2>0$ だからである。したがって，$x^2>0$ であるための必要十分条件は $x \neq 0$ である。一方，$x^2>0$ は $x>0$ であるための必要な条件ではあるが，十分な条件ではない。

一時，花婿の条件は，3K（高収入，高学歴，高身長）といわれた。3K は花婿の必要条件というわけである。とんでもない時代があったものである。

ある数学的な性質を示すのには，演繹的な方法と帰納的な方法があるが，前者はある法則や定理の発見や予測に用いられ，後者はそれを証明するのに用いられることが多い。どちらも重要なのだが，小学校では帰納的方法が使われることが多い。帰納的方法というのは，例えば，三角形の内角の和が 180° というのを，いろいろな三角形を実測したり折り紙を折ったりして，どんな三角形でも 180° になりそうだということから結論する方法である。それに対して演繹的方法というのは，限られた公理系やすでに示された命題から，どんな三角形でも 180° であることを論理的に導き出す方法である。

中学校になると，数学は帰納的なものから演繹的なものにシフトするので，その変化に戸惑いを感じるようである。しかし，それが成長するということでもある。その成長の節目を乗り越えられなくなっている子ども達が増えていて，それは教育のあり方にも問題があるという気がしなくもない。

第 19 章
( ), { }, [ ]
ひたすらはさんで400年

( ) 括弧は，16世紀以前の本には全く出てこないという。
( ) が使われた最初の本は，イタリアに滞在していた天文学
者のクラヴィウスが1608年に書いた代数の本のようだ。ヴィ
エトの本には { } が出てくる。ドイツのシュティフェル
やフランスのジラールも ( ) を使っているが，17世紀では
ほとんどが何本かの横線を用いていたようだ。

たとえば，$4[4\{x-8(x-2)\}x]+1=0$ は次のように表記し
た。

$$4\ 4\ \overline{x-8\ \overline{x-2}\ x}+1 = 0$$

また，$2(\sqrt{2}-\sqrt{3})+2(\sqrt{2}+\sqrt{3})$ はこんな感じ。

$$2\ \overline{\sqrt{2}-\sqrt{3}}+2\ \overline{\sqrt{2}+\sqrt{3}}$$

ニュートンもこの横線を用いている。( ) が数学で実際
に使われるようになったのは18世紀になってからである。
オランダのブラシェーやドイツのライプニッツ，その後のスイ
スのヤコブ・ベルヌーイ，オイラーによるところが大きい。
括弧（Klammer，独）の名称もオイラーによる。日本では
{ } が中括弧で [ ] が大括弧であるが，欧米では逆であ
る。

（　　）は，そこをまとめて計算するということを示している。したがって，（　　）部分を最初に計算する。

　例えば，$S=1\div3\times3$ を計算するとき，最初から順番に計算すれば，$(1\div3)\times3=1$ である。ところが，$1\div(3\times3)$ であれば，$1/9$ となり答えが違ってくる。このようなことがあるので，$\times, \div$ の混じった式では，括弧がなければ，最初から順に計算する約束になっている。

　括弧は計算の順序にのみ使われるのではなく，思考をするためにも使われる。目的に応じて，うまく括弧を使いこなせるのが，カ・ッ・コ・いいということである。例えば，三桁の数が3で割り切れるための必要十分条件は，(1の位の数)＋(10の位の数)＋(100の位の数) が3で割り切れることである。これは，括弧を利用して次のように考えることができる。

　一般に三桁の数 s は，一桁の数 a, b, c を用いて，$s=100a+10b+c$ と表される。

　　$100a$ と $10b$ を3で割ることを考えると，

　　$s = 100a+10b+c = 33a\times3+a+3b\times3+b+c$

ここでカッコを使えば，

　　$s = 3(33a+3b)+a+b+c$

最初の項は，3の倍数である。したがって，s が3で割り切れるには，$a+b+c$ が3で割り切れればよいことになる。

　もう一つ「10の位の数が同じで，1の位の数の和が10である2数の乗法の規則を見つけよ」という例題が中学校の教科書にある。これも括弧がうまく利用できる。

　2数を $10a+b, 10a+c$ として考えれば，次のようになる。

　　$(10a+b)(10a+c) = 100a^2+10a(b+c)+bc$

　　　　　　　　　　　$= 100a^2+100a+bc \quad (b+c = 10)$

$$= 100a(a+1)+bc$$

例えば，$36 \times 34 = 300 \times (3+1) + 6 \times 4 = 1224$ となる。

さらに，（ ），{ }，[ ] の全部のお世話になるのは次のような2次式の完全平方を作るときなどである。

$5x - 2\sqrt{5x} - 4$ の最小値を求めよといったときに，$\sqrt{}$ の微分がわからなくても，完全平方で解くことができる。

$$5x - 2\sqrt{5x} - 4 = 5(x - 2\sqrt{5x}/5) - 4$$
$$= 5[\{x - 2\sqrt{5x}/5 + (\sqrt{5}/5)^2\}$$
$$- (\sqrt{5}/5)^2 - 4/5]$$
$$= 5\{(\sqrt{x} - \sqrt{5}/5)^2 - 1\}$$

つまり，$x = 1/5$ のとき，最小値 -5 ということになる。

実際の計算では，[ ] まで出てくることはあまりないが，これは定積分を計算するときにも用いられる記号である。

$$\int_1^e \frac{1}{x} \mathrm{d}x = [\log x]_1^e$$

$$= \log e - \log 1 = 1 - 0 = 1$$

また，括弧が威力を発揮するのは因数分解である。上に出てきた式 $5x - 2\sqrt{5x} - 4$ は，次のように因数分解される。

$$5x - 2\sqrt{5x} - 4 = 5\{(\sqrt{x} - \sqrt{5}/5)^2 - 1\}$$
$$= 5\{(\sqrt{x} - \sqrt{5}/5) - 1\}\{(\sqrt{x} - \sqrt{5}/5) + 1\}$$
$$= 5\{\sqrt{x} - (5 + \sqrt{5})/5\}\{\sqrt{x} + (5 - \sqrt{5})/5\}$$

これらの計算だけでも括弧という記号の発明がいかに有難いかがわかる。式や計算だけに限らず，数学全般にわたって括弧は不可欠なものであり，括弧があることで思考が節約される。括弧は数学世界のカッコいいアイドルなのである。

$!, {}_n C_m, {}_n P_m$

「あっ」という間の数学

　山間部を車で行くと「熊出没注意！」などと書かれた標識を見かける。！は驚きの記号であるが，数学では階乗と呼ばれる記号である。この記号が単独で使われることはなく，

$$5!$$

のような使われ方をする。5!のことを5の階乗（factorial）という。

$$5! = 1 \times 2 \times 3 \times 4 \times 5 = 120$$

である。

　足し算に比べればあっという間に大きい数になるから，この驚きの記号！がふさわしいともいえる。多くの数の掛け算をいちいち書き表すのは大変だから，そのための省略記号である。

$$1 \times 2 \times 3 \times \cdots \times n = n!$$

であるが，$n!$でなくてL_nと書くこともあったようだ。！の記号は1808年フランスのクランプの著書に初めて現れた。

　よく知られているように，5個のものを一列に並べる並べ方は5!である。少し詳しく説明しよう。まず，先頭を選ぶ選び方は5通りである。一つの先頭に対して，次を選ぶ選び方は残りの4個からであるから4通りある。したがって，5通りの先頭をすべて考えれば，ここまでで5・4通りである。

順次これを続ければ，すべての並べ方は，5·4·3·2·1＝5! 通りとなる。これが，$n!$ の出てくる具体例である。

　$n!$ は，「あっ」という間に大きくなるが，どれくらいの大きさになるかは興味のあるところであろう。ちなみに，50! は 65 桁の数である。n が十分大きい時は，$n!$ はスターリングの公式と呼ばれる次の式で近似される。スターリングは 18 世紀のイギリスの数学者である。

$$n! \approx \sqrt{2\pi n}\left(\frac{n}{e}\right)^n \quad (\pi \text{ は円周率，} e = 2.71828\cdots)$$

　この公式は確率の研究を行い『偶然の原理』（1716 年）という名著を書いたド・モアブルが先に得ていたともいわれる。

　一方，n 個から m 個だけ選んで一列に並べる並べ方は，上の考えで，m 個のところで止めればよいので，$n·(n-1)·(n-2)·\cdots·(n-m+1)$ 通りである。これは順列（permutation）と呼ばれ，$_nP_m$ で表される。

　$_nP_m = n·(n-1)·(n-2)·\cdots·(n-m+1)$

　ところで，{りんご，イチゴ，みかん，キウイ}から，3 個を組み合わせたプレゼントを作ろうとすると何通りの組み合わせがあるかというのを考えてみよう。

（1）まず，"りんご" を入れたければイチゴとみかんとキウイが残る。つまり，3 通りの組み合わせが可能である。そこで，イチゴを入れたとすれば，残りはみかんかキウイの 2 通りであるから，りんごを入れる組み合わせは 3×2 通りあることになる。もちろん，これらの中には組み合わせが同じものが含まれている。

（2）"イチゴ" を最初に入れた場合でも（1）と同じように考えればよいから，3×2 通りである。

（3）（1）（2）と考えあわせれば，全部で $4 \times (3 \times 2) = 24 (= 4 \times 3 \times 2 \times 1 = 4!)$ 通りある。

（4）ところが，これらの中にはいくつか同じ組み合わせが混じっているので，それを考える必要がある。そこでそのダブり具合を考える。

そこで，"りんご" を含む三つの組み合わせを考えてみる。それが，{りんご，イチゴ，みかん} だったとする。{りんご，みかん，イチゴ} というのも考えられる。したがって，"りんご" を最初に指定した時のダブりは，2 通りである。このことは，イチゴを最初に指定したときにも 2 通り起きる。また，みかんを最初に指定したときにも起きるので，$3 \times 2 = 3 \times 2 \times 1 = 3!$ 通りのダブりがあることになる。こうして，ダブりのない組み合わせは $4!/3! = 4$ 通りということになる。

これは，組み合わせと呼ばれていて，$_4C_3$ という記号で表される。$_4C_3 = 4$ である。

一般に，n 個の要素から m 個のものを選ぶ選び方の総数は $_nC_m$ という記号で表され（C は組み合わせ〈combination〉からきている），

$$_nC_m = \frac{n!}{m!(n-m)!}$$

である。ただし，$_nC_0 = 1$ であり，$0! = 1$ である。n 個の中から m 個取り出すことは，n 個の中から $(n-m)$ 個取り出すことと同じだから，

$$_nC_m = {}_nC_{n-m}$$

となる。

歴史的に，組み合わせの個数についてはいろいろな人が研究しているが，フランスのエリゴンが 1634 年の『実用算術』

で ${}_nC_m$ を定義している。組み合わせと順列の本格的な基礎を作ったのはライプニッツである。その後，組み合わせの理論は大きな発展を遂げるが，中でもそれは確率論において大きな役割を演じることとなる。

一方，${}_nC_m$ は次の二項定理の係数に出てくる数なので二項係数とも呼ばれる。

$$(a+b)^n = a^n + na^{n-1}b + {}_nC_2 a^{n-2}b^2 + \cdots$$
$$+ {}_nC_m a^{n-m}b^m + \cdots + nab^{n-1} + b^n \quad \text{（二項定理）}$$

この公式は 10 世紀には，すでに知られていた。

さらには，紀元前 2 世紀のインドでは，二項定理の特別な場合にあたる次のことを知っていた。さすがは，数の計算に強いインドだけのことはある。

$$2^n = (1+1)^n = 1 + n + {}_nC_2 + \cdots + {}_nC_m + \cdots + n + 1$$
$$= {}_nC_0 + {}_nC_1 + {}_nC_2 + \cdots + {}_nC_m + \cdots + {}_nC_{n-1} + {}_nC_n$$

パスカルはパスカルの三角形という二項係数の作り方を示している。これを知っていると便利である。

$(a+b)^0 = 1$

$(a+b)^1 = 1a + 1b$

$(a+b)^2 = a^2 + 2ab + b^2$

$(a+b)^3 = a^3 + 3a^2b + 3ab^2 + b^3$

$(a+b)^4 = a^4 + 4a^3b + 6a^2b^2$
$$+ 4ab^3 + b^4$$

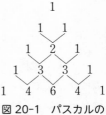

図 20-1　パスカルの三角形

このことから一般に，

$${}_nC_m = {}_{n-1}C_{m-1} + {}_{n-1}C_m$$

が成り立つ。

この三角形が最初に書物に現れたのは，16世紀のドイツの天文学者であり数学者であるアピアヌスの算術書であり，パスカルがそれを研究するのはその1世紀後のことである。17世紀フランスのパスカルは，10代で数々の数学の定理を証明した。

　n が自然数のときの二項定理の証明を与えたのは，順列を研究したベルヌーイである。二項定理はニュートンの二項式とも呼ばれているが，ニュートンの名前が冠せられるようになったのは，n が負の数や有理数や無理数でも成り立つ式を彼が考えたからである。n が自然数と負の数とでは決定的に異なる。これが数学のおもしろいところでもある。負の数になると実は有限個の和ではなく次のように無限級数（無限個の和）になってしまう。

$$(1+a)^{-1} = 1-a+a^2-a^3+a^4-a^5+\cdots$$

　一般には，任意の実数 r に対しては次のようになる。

$$(1+a)^r = 1+ra+\frac{r(r-1)}{2!}a^2+\frac{r(r-1)(r-2)}{3!}a^3$$
$$+\frac{r(r-1)(r-2)(r-3)}{4!}a^4+\cdots$$

　その後，微積分学の発展に伴い，テイラー展開やフーリエ級数などを始めとして，無限級数の理論は解析学にはなくてはならないものとなった。

大学で学ぶ
教養としての数学

max ≦ sup ~ { | }

∨ ⊂ ¬ f:X→Y

ℵ rank

∧ ∀ δ $\begin{vmatrix} a & b \\ c & d \end{vmatrix}$ ⊆

ε ∪ ∩ ∋

第 21 章

N, R, Z, Q, C
数の切れ目はどこか

現代の数学は集合の概念なしには成り立たない。もちろん数も集合である。特に N, R, Z, Q, C は，数の集合を表すラベルとして用いられる。

N は自然数の集合につけたラベルで natural number の頭文字からきている。同様に，R は real number からきており，実数の集合につけられたラベルである。Z は整数の集合につけられたラベルで，ドイツ語の Zahlen からきている。Q は有理数の集合につけられたラベルである。有理数は rational number であるが，R は実数のラベルなので，その一つ手前の Q を使うようになったという説もあるが実際は商（quotient）の頭文字らしい。C は複素数の complex number からきている。

これらの関係は，$N \subset Z \subset Q \subset R \subset C$ である。しかし，歴史的には必ずしも小さいほうから順に大きいほうへと発達したわけではない。これらが整備されるには 19 世紀まで待たなければならないが，19 世紀以前に数論に関して多くの発見がなされたことは，すべてのことが明確にわからなくても数学は発展するのだということを如実に示している。

数とは何かという答えは決してやさしくないが，今ではそれを説明し解釈することはできる。

　3 は 3 個でもなく，3 人でもなく，3 台でもない，たんなる 3 である。つまり，具体的な量から抽出された 3 という抽象的な概念である。したがって，3 は 3 台の「さん」であり，3 個の「さん」でもあるともいえるのだ。

　自然数とはその名の通りもっとも身近な数であり，ものの個数などを抽象して得られたものである。ところが，水の量や長さなどの量的なものを測ったり，分けたりすることから，それを表現するために分数（有理数）の概念が生じた。そして，生活上の過不足を表す表現が後に代数的な方程式を解くことによって生じる負の数の概念として認識された。また，それは温度を測ったり借金を表したりする方向性を持った量として捉えられるようになった。

　その後，0 がたんに空位を表すのみでなく数として考えられるようになり，位取り記数法の発達で計算も容易になった（0 の発見はインドとされている。その確実な記録は 876 年の碑文に見られるとのことである）。それでも，16 世紀までは大学で割り算が教えられていたというから今から見れば隔世の感がある。

　一方，すでにピタゴラスの時代に得られていた無理量（無理数）は，長いこと数として認識されなかった。しかし，三角法を天文学から分離させた 13 世紀のイランの数学者アッ・トゥーシーは，正の実数（有理数と無理数）の概念に到達していたといわれている。

　さらに，17 世紀前半にデカルトは連続量と数の概念の不一致を克服して，単位線分を導入することによって，数の四則を線分を用いた作図として位置づけた。実数を線分と見なすことで，無理数も負の数もその解釈が可能となった（数直線

がなければ，数の意味はいまだにわからなかっただろう）。

ニュートンは「数とは一の集まりではなく，何らかの量の，それと同種で単位に採用された基準量に対する抽象的な比であり，数は整数，分数，無理数の3種類からなる」という数の現代的解釈を与えた。さらに，極限の概念を導入することで，無理数を有理数の極限として理解する道を開いた。無理数をつかまえることに成功したのだ！　16世紀後半の数学者ステヴィンは任意の実数を小数で無限に近似する方法を提起した。18世紀にオイラーとランベルトが，無限小数は巡回すれば有理数であることを示した。こうして，無理数とは循環しない無限小数として認識されるようになった。

さらに，飛躍的な実数概念の基礎づけは，19世紀，ボルツァーノ，コーシー，ドイツのワイエルシュトラスなどが，極限やその基本概念の厳密な定義を与えてからである。その端緒は，ドイツの数学者デデキントが考えた実数の連続性の考察にある。実数の連続性とは実数には切れ目がないということである。

例えば，2を考えてみる。整数であれば2の次の数は3であり，2のすぐ手前の数は1である。ところが実数で考えてみると，2の次の数やすぐ手前の数をいうことができない。これは実数が切れ目なくつながっているからである。これが実数の連続性である。

実数とは何かという問題は微分積分などの基礎を考えていく上でとても重要で，19世紀になってようやく決着がつき，微積分の基礎が確固たるものになった。

数十年前には，大学に入ると高木貞治の『数の概念』という本を読むように勧められたものである。

第 **22** 章

＝，～，≡
同じだけど違う

　＝ は等号の記号であり，この両側に書かれたものが等しいということを示している。

　「2 足す 3 は 5」のように，たんに計算した答えを出すためであれば，＝ は必要のない記号である。これを必要とするのは，方程式の表現や式の等式変形などの操作が必要となる場合である。したがって，記号代数が盛んになる中世以前にはこの記号の重要性はあまりなかった。

　＝ を使ったのはイギリスの医師レコードであり，＝ は彼の著作『知恵の砥石』（1557 年）で初めて世に出た。レコードは，この記号 ＝ を使った理由を「2 本の平行線ほど世の中に等しいものは存在しないから……」としていることから，この記号は平行線の記号からきたと考えられる。実際，レコードの書いている等号の記号は，現在使われているものよりかなり長いものである。しかし，その約 60 年後の 1618 年にエドワード・ライトの書いた対数の注釈書（対数の発明はネイピア）までは，使用されなかったということである。17 世紀の後半から，微積分を誕生させたウォリス，バーロウ，ニュートンなどがこれを使用しはじめたが，ヨーロッパ大陸では，等しいという文字の略字 aeq.（＝aequales）が使われ，＝は別の意味に使われた。しかしその後，デカルトやライプニ

ッツなどが = を用いたために，= は爆発的に普及した。

= はその両側に書かれた内容が同じであることを意味する記号であるが，数学でいう「同じ」というのは次の性質も満たすものとして規定される。

(1) $A = A$

(2) $A = B$ ならば $B = A$ である

(3) $A = B, B = C$ ならば $A = C$ である

(1) は反射律，(2) は対称律，(3) は推移律と呼ばれる。

通常，= は数字や数式などでの「同じ」を示すのに用いられることが多く，それ以外の数学的対象に対してはそれぞれに固有の記号が存在する。そのどれもが (1)〜(3) を満たすものとして規定される。

実は (1)〜(3) を満たす関係を今日では同値関係という。

例えば，$\sim, \infty, \simeq, \equiv$ なども = と同じくこの同値関係の具体的な一つである。

それらが異なる記号であるのは，それが扱っている対象が数とか式とは異なっているからである。そして，同値関係にある二つの対象を同じだと見ることで新しい数学が展開されるのである。

$\sim$ は便利な記号なのでいろいろな意味に使われるが，次のような同値関係を示す記号としても用いられる。

平面上に原点と呼ばれる点 O を決め，その点を通る直交する二つの直線を考えれば，平面上の全ての点はこれらの直線上の O からの位置 x と y によって決定される。これをこの点の座標という。ライプニッツが横線と縦線（ordinata）とを統一して座標（co-ordinate）としたことに始まる。日本

では藤沢利喜太郎によって坐標と訳されたが，昭和のはじめに座標となった。平面を表記するのにはギリシャ文字 $(\alpha, \beta, \cdots)$ が使われることが多いが，数的な表現をするときは R^2 という記号で書かれるのが普通である。集合の記号では平面を，

$$R^2 = \{(x, y) \,|\, x, y \text{ は実数}\}$$

と表記する。

さて，この平面上の点の間に次のような関係「～」を導入する。

二つの点 $P(p_1, p_2)$ と $Q(q_1, q_2)$ に対して，

$p_1 - q_1 = $ 整数　かつ　$p_2 - q_2 = $ 整数　となるとき $P \sim Q$

とする。$P \sim Q$ を「点 P と点 Q が同値である」という。

実は，このときの関係「～」は上に述べた (1)～(3) を満たしている。つまり，同値関係になっている。

(1) $P \sim P$

(2) $P \sim Q$ ならば $Q \sim P$

(3) $P \sim Q$ かつ $Q \sim T$ ならば $P \sim T$

実際，$p_1 - p_1 = 0, p_2 - p_2 = 0$ で，整数であるので (1) が成り立つ。また $p_1 - q_1 =$ 整数（$= m$ とする），$p_2 - q_2 =$ 整数（$= n$ とする）ならば，$q_1 - p_1 = -m, q_2 - p_2 = -n$ と，やはり整数になるから (2) が成り立つ。(3) は読者の練習にしよう。

$P(2, 3)$ と $Q(-4, 7)$ は同値であるが，$P(2, 3)$ と $T(5, 0.6)$ は同値ではない。ここで点 P と同値な点全体を考えて，それを $C(P)$ とか $[P]$ とかいう記号で表す。これは点 P の

同値類（equivalence class）と呼ばれる。$C(P)$ の C は class の頭文字である。

　平面 R^2 の点を同値類にまとめた $C(P)$ を新しい点として考える数学的対象を $\mathrm{R}^2/\sim$ という記号で表す。集合的に表記すれば，次のようになる。

$$\mathrm{R}^2/\sim \; = \{C(P)\,|\,P は平面上の点\}$$

このとき，この新しい数学的対象 $\mathrm{R}^2/\sim$ は何を表しているのだろうか。

　これはトーラスと呼ばれるもので，そのモデルとしてはドーナツの表面をイメージすればよい。

　このような操作によって新しい数学的対象を創造していくことができる。また逆に，ドーナツの表面のようなものにこのような方法で数学的表現を与えて，数学の対象として取り込んでいくことができる。

　$\sim$ はもともと等号や二つの図形の相似を示す記号として用いられた。今日では ∞ が相似の記号である。$\sim$ はライプニッツが相似に用いた記号で，$\sim$ と $=$ を組み合わせて「相

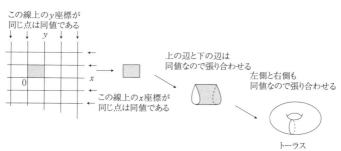

この線上の y 座標が
同じ点は同値である

上の辺と下の辺は
同値なので張り合わせる

左側と右側も
同値なので張り合わせる

この線上の x 座標が
同じ点は同値である

トーラス

図 22　トーラス

似であると同時に等しい」ということで ≃ を合同の記号として使っているが, それはあまり使われずに 〜 と ＝ とを直接に組み合わせた ≅ が 18 世紀の後半に使われるようになり, それが後に今日の合同の記号 ≡ になったようである。≡ を用いたのはハンガリーのボーヤイらしい。一方, ドイツのリーマンは『楕円関数論』（1899 年）で恒等式を表すのに ≡ を用いており, 今日でも ≡ は幾何学的対象と代数的対象とに用いられる。

　幾何学で用いられる合同 ≡ は, 二つの三角形 $\triangle ABC$ と三角形 $\triangle EFG$ を重ねたときにぴったり重なるという意味で, $\triangle ABC \equiv \triangle EFG$ と使う。

　一方, 代数では次のように用いられる。

　二つの整数 m, n に対して, $m \equiv n \,(7)$ と書いたときは, $m - n$ が 7 で割り切れることを表している。いいかえれば, m, n を 7 で割ったときの余りが同じだということである。このときの ≡ も (1)〜(3) を満たしている。つまり, ここでは 7 で割った余りが等しくなる数は同じと考えている。

　通常, 代数で使う ＝ は注釈を必要としないが, それ以外の ≡ などの記号はそのほとんどが注釈を必要とする。

　数学の記号は, 文章で書き表すことを避けて, 省力化して運用するための手段であり, それぞれの対象に対して独自に用いられるものであるから, どのカテゴリーでの話題かによって, その使われている記号的意味が違ってくるのである。

≦, ＜

数学不平等起原論

　≦ は大小を示す記号である。≦ と ＜ は，左側より右側が大きいことを示しているが，≦ のときは左側＝右側もあり得るということである。記号自体は小学校でも習うものだが，深い意味がある。

　16 世紀のイギリスの数学者ハリオットは当時の方程式論の指導者の一人であるが，彼の死後 10 年後に刊行された『演習解析術』（1631 年）の中に ＜ や ＞ の記号が出てくる。

　≦ は，その 1 世紀の後 1734 年フランスの測地学者のボーガーの本の中で用いられた。

　どんな実数 x に対しても $x^2 \geqq 0$ や $x^2+1>0$ が成り立つ。これは中学校でお目にかかる実数の性質を示している。後者の不等式には ＝ はつかない。2 次不等式の場合は，≧ であるか，＞ であるかが重要となる問題が多い。

　ところで，解析学（代数学，幾何学と並ぶ数学研究の分野の一つ。微分や積分を用いて解析する）は不等式の学問だともいわれる。それは不等式による評価が非常に大きな意味を持つことが多いからである。大学初年度に出てくる連続性の定義で華々しく登場する ε-δ（イプシロン-デルタ）論法など，どれをとっても不等式による評価を必要とする。

　中学・高校で馴染みのある不等式に相加平均 $(a+b)/2$ と

相乗平均 $\sqrt{ab}$ に関する不等式,

$$\frac{a+b}{2} \geqq \sqrt{ab}$$

がある。この不等式は, 周の長さが一定である長方形の中で面積が最大のものは正方形であることを示している。これは $=$ の存在がうまみを発揮する例である。

　また, ベクトル $\boldsymbol{a}=(x_1, y_1, z_1)$, $\boldsymbol{b}=(x_2, y_2, z_2)$ の内積に関する不等式としてよく知られたものに, コーシー・シュワルツの不等式がある。

$$(x_1 x_2 + y_1 y_2 + z_1 z_2)^2 \leqq (x_1{}^2 + y_1{}^2 + z_1{}^2)(x_2{}^2 + y_2{}^2 + z_2{}^2)$$

　これは大学の入試問題によく出てくる不等式でもある。左辺の (　) の中は, ベクトル $\boldsymbol{a}$ と $\boldsymbol{b}$ の内積と呼ばれるものであり, $\boldsymbol{a} \cdot \boldsymbol{b}$ と表記される (第 43 章参照)。一方, 右辺はベクトル $\boldsymbol{a}, \boldsymbol{b}$ の長さの 2 乗である。つまり,

$$\boldsymbol{a} \cdot \boldsymbol{b} = x_1 x_2 + y_1 y_2 + z_1 z_2$$
$$\boldsymbol{a} \text{ の長さ} = \sqrt{x_1{}^2 + y_1{}^2 + z_1{}^2}$$
$$\boldsymbol{b} \text{ の長さ} = \sqrt{x_2{}^2 + y_2{}^2 + z_2{}^2}$$

この不等式が重要なのは

$$\frac{|x_1 x_2 + y_1 y_2 + z_1 z_2|}{\sqrt{x_1{}^2 + y_1{}^2 + z_1{}^2}\sqrt{x_2{}^2 + y_2{}^2 + z_2{}^2}} \leqq 1$$

となることにより, ベクトル $\boldsymbol{a}$ とベクトル $\boldsymbol{b}$ のなす角 θ を

$$\cos \theta = \frac{x_1 x_2 + y_1 y_2 + z_1 z_2}{\sqrt{x_1{}^2 + y_1{}^2 + z_1{}^2}\sqrt{x_2{}^2 + y_2{}^2 + z_2{}^2}}$$

を満たすものと定義できるからである。

　最後の式は，幾何的に成立することも確かめられて，$\boldsymbol{a}\cdot\boldsymbol{b}$ ＝（$\boldsymbol{a}$ の長さ）・（$\boldsymbol{b}$ の長さ）$\cos\theta$ としてよく知られている。しかし，幾何的な直感が効かないところでは，二つのベクトルのなす角度 θ はこの式でしか定義できないのである。

　ところで，二つの数を考えたとき，例えばそれが 2 と 3 だったとすれば，2 は 3 より明らかに小さいので，2＜3 である。一般に二つの数を勝手に考えたとき，それを a と b とすれば，$a<b, a=b, a>b$ のいずれかである。

　しかし，ただたんに大小を示すだけであれば，数を見ればわかることなので，ことさらこの記号を使う意味はない。不等式の記号の重要さはその操作性にある。つまり，運用されるときに初めて威力を発揮する。

　例えば，2＜3 の不等号の数の両方に -1 を掛けると $-2>-3$ になるとか，$a<b$ となる二つの数があったときにそれぞれを加えて $a+2<b+3$ になるといった具合である。

　負の数を習ったばかりの中学生がよくする間違いは，

　　$a>b, \ c>d$　ならば　$a-c>b-d$　（誤）

というものである。また，負の数を掛ける

　　$a>b, \ c<0$　ならば　$a\cdot c<b\cdot c$　（正）

という式もよく間違えるという。

　ところで，数（実数）の大小（$\leqq$）に着目をすれば，次の性質が成り立つ。

　　(1) $a\leqq a$
　　(2) $a\leqq b$ と $b\leqq a$ が同時に成り立つときは $a=b$

(3)　$a \leqq b, b \leqq c$ であるならば，$a \leqq c$

しかし，このような性質を持つのは必ずしも数のような大小関係に限られるわけではない。

一般には，二つの要素の a, b の間に (1)(2)(3) が成立する関係が存在する場合に，そのような関係を「順序」という。さらに，a と b の間には $a \leqq b$ か $a \geqq b$ のいずれかが必ず成り立つときに「全順序」という。

記号 ≦ は大小関係に用いられるだけではなく，順序の場合にも用いられる。いま，犬，猫，小鳥からなる集まりを考え，それを次のようにする。

$A = \{犬\}, B = \{猫\}, C = \{小鳥\},$

$D = \{犬, 猫\}, E = \{犬, 小鳥\}, F = \{猫, 小鳥\},$

$G = \{犬, 猫, 小鳥\}$

このとき，$X = \{A, B, C, D, E, F, G\}$ には次のような順序を考えることができる。

A と D を比較してみると，A の要素は D に全て含まれていることがわかる。このような場合に $A \leqq D$ と書くことにする。こうすると ≦ が (1)(2)(3) を満たすことを示すことは簡単である（各自で試してみよう）。ところが，A と C を考えたときに，$A \leqq C$ でも $A \geqq C$ でもない。したがって，この順序は全順序というわけではない。つまり，順序を考えることはできるが，すべてに順序がつくわけではない。

実数の場合は，大小関係と順序関係とが一致している特別な場合である。そのことが，数を理解し，計算するのにとても役に立っているのである。小学校の頃，順番を唱えることで数を計算したことを思い出してみよう。数には，順序数（順番を示す数）と集合数（ものの個数）があるのである。

第 24 章

⊂, ⊆
数学の伝説はここから始まる

⊂ は，含む，含まれるという二つの集合の関係を示す記号である。その意味を形で示したものと考えられる。

集合とは数学の対象となるものの集まりをいう。もっとも，その集合に属するかどうかが明確である必要がある。したがって，数学では「美人の集まり」などという主観に惑わされるものは集合とは考えない。

二つの集合 A, B があり，A が B に含まれていることを $A \subset B$ と表す。このような二つの集合の関係を包含関係という。

B を日本にあるすべての二輪車とし，日本にある人力車の集合を A とすれば，$A \subset B$ ということになる（人力車は三輪ではないので）。

この例のように真に小さい場合，小さいほうは大きいほうの真の部分集合（または真部分集合）と呼ばれる。これを強調するときは $A \subsetneq B$ と書く。

一方，$\subseteq, \supseteq$ は，二つの集合において，一方が小さいことは明確だが，真に小さいかどうか明らかでないときに用いられる。

例えば，A を二つの辺が等しい三角形（二等辺三角形）の集合として，B を二つの角が等しい三角形の集合としたとき

に，中学校で習ったように「二等辺三角形の底角は等しい」という定理を使えば，$A \subset B$ である。この場合に，A のほうが真に小さいかどうかと問われると答えられないときには，$A \subseteq B$ と書いたほうが無難だということになる。実際は，その定理の逆も成り立つので，$A \supseteq B$ も成り立つ。したがって，この場合は $A \subseteq B$ と $A \supseteq B$ が共に成り立つことになり，$A = B$ ということになる。

　二つの集合が等しいことを示すには，いま述べたように $A \subseteq B$ と $A \supseteq B$ が共に成り立つことを示せばよい。

　集合で用いられるこのような記号の多くは19世紀のイタリアの数学者ペアノによるところが大きい。

　集合の概念の発展は19世紀のドイツの数学者カントル以降であるから，かなり近年になってからである。数学は集合を基礎にして，そこにある構造とその関係性を調べるものであると考えたほうが捉えやすい。そのような観点から数学を全面的に書き直そうとしたのがフランスのブルバキ（数学者の集団）であった。ブルバキの影響もあり，学校での数学教育もこのような観点から考え直そうとする運動があったがうまくはいかなかった。数学的概念がまだまだ未成熟である子どもにとっては，集合という一般的で抽象的な捉え方は非常に難しいのである。子どもの発達を考慮した教育が必要なのはいうまでもない。

第 25 章

∩, ∪
アイドルの交わり集合

これは集合を扱うときに用いる演算的な記号である。

太郎君の好きなアイドルの集合を A とし，一郎君の好きなアイドルの集合を B とする。

このとき，太郎君と一郎君がともに好きなアイドルの集合は $A \cap B$ で表され，A と B の共通集合（intersection）と呼ばれる。一方，太郎君と一郎君がそれぞれに好きなアイドルをあわせた集合は $A \cup B$ で表され，A と B の和集合と呼ばれる。∪ は和（union）の頭文字であろう。

この演算の次のような性質はイギリスのド・モルガンによって示された（ド・モルガンの法則）。

(1) $A \cap (B \cup C)$
$= (A \cap B) \cup (A \cap C)$

(2) $A \cup (B \cap C)$
$= (A \cup B) \cap (A \cup C)$

∩ を ×（掛け算）と考え，∪ を

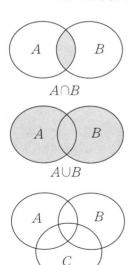

$A \cap B$

$A \cup B$

図 25-1 集合の掛け算と足し算

＋（足し算）と考えれば，（1）は次のようなことを意味している。つまり，普通の掛け算や足し算が満たす性質（分配法則）である。

$$A \times (B+C) = (A \times B) + (A \times C)$$

したがって，∩ を結びとか交わり，または積といい，∪ を合併とか和とか呼んでいる。しかし，（2）は次のようなことになるので，

$$A + (B \times C) = (A+B) \times (A+C)$$

普通の意味の掛け算や足し算とは違うことがわかる。

もちろん，A と B が交わりを持たないこともある。太郎君と一郎君がともに好きなアイドルがいない場合である。これは，$A \cap B$ $=\phi$ と表される。ϕ（ファイ）は何も含まない集合という意味で，空集合という。

$$A \cap \phi = \phi, \quad A \cup \phi = A$$

ϕ は，ちょうど数の 0 のような役割を演じている。

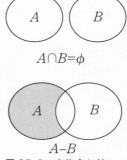

$A \cap B = \phi$

$A - B$

図 25-2　空集合と差

これ以外にも，差と呼ばれる集合の演算を定義できる。これを － という記号で書く。

$A - B$ は，A に含まれるが B には含まれない要素の集合を表す。

つまり，太郎君が好きなアイドルの中から一郎君の好きな

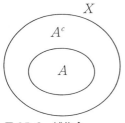

図 25-3　補集合

アイドルを除去した残りの集合を意味している。しかし，集合では $B-(B-A)=A$ は正しくないから，普通の引き算のようにはいかない。

また，すべてのアイドルを X で表すとすれば，$A \subset X$ であり $B \subset X$ であるが，ここで $X-A$ のことを，A^c と表し，A の補集合という。つまり，太郎君が好きなアイドルを取り除いた残りの全アイドルを表している。意味を考えれば，$(A^c)^c = A$ である。

さらに，A と B との結び（$\cap$）とは違う積集合 $A \times B$ というものを考えることができる。

これは A から一つの要素 x を持ってきて，B からもやはり一つの要素 y を持ってきて，その対 (x, y) からなる集合を考えることである。つまり，集合的に書けば，

$$A \times B = \{(x, y) \mid x \text{ は } A \text{ の要素，} y \text{ は } B \text{ の要素}\}$$

これは A と B から新しい別の集合を作り出すのに用いられる。例えば，$A = \mathrm{R}$（実数の集合），$B = \mathrm{R}$ ならば，$A \times B = \mathrm{R} \times \mathrm{R}$ でこれは平面を表しており，R^2 と書かれる。

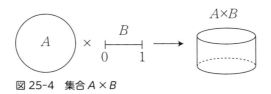

図 25-4　集合 $A \times B$

(x, y) は平面上の座標を表すのによく使われているので，よく見慣れていると思うが，一般的にはこのような集合論的定義がされるのである。

例えば，A＝円，B＝[0，1] ならば，集合 $A \times B$ は円柱を表す（図 25-4）。

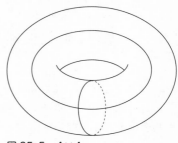

また，集合 $A \times A$ はトーラス（ドーナツの表面）を表していると考えることができる（図 25-5）。

図 25-5　$A \times A$

面白いもので，すでに知られている数の世界に照らして，いろいろな演算を考えてみるとさらなる世界が開けてくる。これらの記号 ∩，∪ は集合に対しての演算であり，普通の数の演算と非常に似ているが，全く違うところもある。

そこで，集合とは離れてその演算とそれが満たす法則性だけを取り上げて考えたのが，束とかブール代数とか呼ばれる概念で，電気工学などのスイッチ回路の理論などに用いられている。ブールは，19 世紀イギリスの数学者で，記号論理学の創始者である。

第 26 章

$\in$, $\forall$, $\exists$

慣れると便利な記号たち

$\in$ は集合論で用いられる記号である。

これは集合とその要素との関係を示す記号である。$\subset$, $\supset$ が集合同士の包含関係を示す記号だったのに対して，$\in$ は集合とその要素の関係を示す。

$x \in R$

$x \notin N$

と書くと（大文字 R は実数（real number）の集合を表す記号，大文字 N は自然数（natural number）の集合を表す記号として用いられる），x は自然数以外の実数であるという意味である。

わかってしまえば，記号を用いる方が思考的にも視覚的にも簡潔になって，それから先の作業が効率化されるという便利さがある。

これらの記号は論理命題に用いられる記号である。集合や論理に関する記号の多くはイタリアの数学者ペアノによって導入された。

さて，$\forall$ は any（ドイツ語の alle）の a を大文字 A にしてそれを逆さにした記号で，「任意の」とか「すべての」いう意味で用いられる。$\forall x$ は「任意の x」とか「すべての x」とかいう意味である。したがって，$\forall x \in R$ と書いたら，「任意の

実数 x」という意味である。

　∃ は，exist（ドイツ語の existieren）の e を大文字 E にして，やはりそれを逆さにした記号で，「存在する」という意味に用いられる。したがって，単独で ∃x∈R と用いられることは少なく，その後に条件文がつくことが多い。

　例えば，$\sqrt{2}$ が無理数であることを示すのに，$\sqrt{2}$ が有理数であると仮定して矛盾を導くのだが，このとき，「$\sqrt{2}$ が有理数（分数）として表現されるような既約な自然数 m と n が存在する」として論を進める。それを数学記号で書けば次のようになる。

　　　$\exists m, n \in \mathrm{N} : \sqrt{2} = n/m, (m, n) = 1$

または

　　　$\exists m, n \in \mathrm{N}(\sqrt{2} = n/m, (m, n) = 1)$

；以下や（　）の中は条件文を示している。∃m, n∈N 以下の式が，「m, n に関する条件です」ということを示す記号だが，それは一定しているわけではなく，記号論理学では（　）を用いているようである。

　もっと滑らかにいえば，「$\sqrt{2}$ が既約なある自然数 m と n の分数として表現されている」という意味である。このような仮定のもとで矛盾を導いて無理数であることを証明するのである。また，$(m, n) = 1$ は m と n が互いに 1 以外の約数を持たない（これを互いに既約という）ことを示す記号である。

　これらの記号はいわゆる習うより慣れよというやつで，慣れてくるとその便利さがわかるようになる。

$f : X \rightarrow Y$
1 対 1 対応ってなんだ？

集合と写像（関数）は現代数学のもっとも基礎的な概念である。数学は「集合に付与された構造を考察するとともに二つの集合間の関係性を対応という概念を用いて考察する学問である」といってよい。

二つの集合 X, Y に対して，集合 X の任意の要素 x に対して集合 Y の要素 y がただ一つ決まるような関係（対応）があるとき（一意対応という），その機能を f という記号を使って，

$$f(x) = y$$

と書く。このとき，f を X から Y への写像または関数といい，記号的に

$$f : X \rightarrow Y$$

と表す。集合 X を定義域，Y を値域ということもある。関

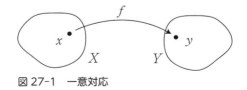

図 27-1　一意対応

数という名称は，X や Y が数の集合（実数や複素数）の場合
に使われる。写像のほうが一般的ないい方である。

　例えば，ある学校の学生リストでは一人ずつ学生証番号と
いう数を対応させていたりする。それは写像である。つま
り，

　　$X =$ 学生の集合，　$Y =$ 学生証番号，　$f =$ 学生リスト

である。英和辞典は英単語に日本語の訳を対応させているわ
けであるが，その対応は一意対応ではないので（複数の意味
を持つ単語がある），写像とはいわない。写像とは一意対応
のことである。もし，英語と日本語の対応が一意対応であれ
ば，ただ一つの解釈でよく，英語で文章を読むのが随分と楽
だし，翻訳機もすぐに作れたであろう。逆にいえば，一意対
応でないものを扱うのは難しいということである。それゆえ
に，そのような対応の取り扱いは避けておこうというわけで
ある。

　1990年代にテレビでヒットしたお見合いパーティーのよ
うな番組があった。トークタイムなどを経て，男性が告白す
る女性を決めるという流れであったと思う。ここでは，女性
が好みの男性を指名することにしてみよう。

　　$X =$ 女性の集合，　$Y =$ 男性の集合

　f を女性が自分の気に入った男性を選ぶという機能だとす
れば，f は X から Y への対応だということになる。このゲー
ムのように，一人の男性が複数の女性から指名を受けるこ
とは許すが，一人の女性が男性を複数指名したり，全く指名
しないというのはルール違反とする。

例えば，

$$X = \{a, b, c, d\}, \quad Y = \{A, B, C, D\}$$

としたとき，

$$f(a) = B, \quad f(b) = C, \quad f(c) = B, \quad f(d) = B$$

となっていてもかまわない。B は 3 人の女性から指名された幸運児である。このような f は X から Y への写像である。

一方，男性から女性を指名する機能 g が次のようであったとしよう。

$$g : Y \to X ; g(A) = a, g(B) = c, g(C) = d, g(D) = b$$

先ほどと違って，この g では男性から女性への指名が重なることなく行われている。このような写像 g を Y から X への 1 対 1 写像という。この場合は，たまたま過不足ない指名にもなっている。過不足が起きないことを Y から X の上への写像という。上に見た f は A が指名されていないので上への写像ではない。

さらには，$f : X \to Y$ と $g : Y \to X$ の結合という新しい写像を考えることができる。それは，$g \cdot f$ や $g \circ f$ という記号で表される。

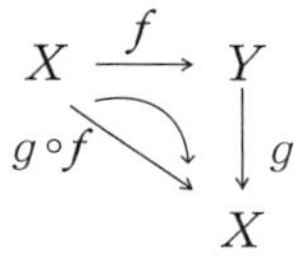

$$X \xrightarrow{\ f\ } Y$$

$$g \circ f \searrow \quad \downarrow g$$

$$X$$

図 27-2　結合写像

$g \circ f : X \to X$

という写像は，次のように定義される。

$$(g \circ f)(x) = (g(f(x)))$$

　$g \circ f$ を f と g の結合写像という。$g \circ f$ は女性から女性への写像なので，お見合い的な意味はないが，この写像が示す結果は，$a \to c, b \to d, c \to c, d \to c$ であり，実は c さんのみがマッチングしていたということを表している。

　この g のような1対1写像に対しては，g の逆の対応を考えることができる。つまり，

　　　$g : Y \to X ; A \to a \quad B \to c \quad C \to d \quad D \to b$

に対して，X から Y への写像で

　　　$a \to A \quad c \to B \quad d \to C \quad b \to D$

となるものを考えることができる。

　これを g^{-1} という記号で表し，g の逆写像という。右肩の -1 は逆を示す記号である。数の場合の指数 -1 をつけた 2^{-1} は2の逆数を表している。数の場合は，$2 \times 2^{-1} = 2^{-1} \times 2 = 1$ であるが，写像の場合は，

　　　$g : Y \to X ; A \to a \quad B \to c \quad C \to d \quad D \to b$
　　　$g^{-1} : X \to Y ; a \to A \quad c \to B \quad d \to C \quad b \to D$

という写像において，g と g^{-1} の結合写像，

　　　$g^{-1} \circ g$

を考えると次のようになっている。

　　　$A \to A \quad B \to B \quad C \to C \quad D \to D$

　つまり，自分を自分に対応させる写像である。これを恒等写像といって，1_Y という記号で表す。

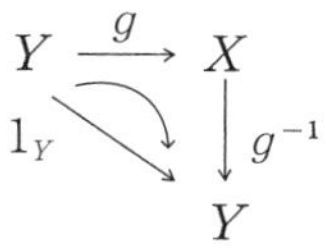

$$Y \xrightarrow{\ g\ } X$$

（図：Y から X へ g、Y から Y へ 1_Y、X から Y へ g^{-1} の図）

図 27-3　恒等写像

つまり，

$$g^{-1} \circ g = 1_Y$$

である。

　このように，。は写像同士の掛け算的な役割りをしており，1_Y は数の 1 の役割になっている。ただし，写像同士の掛け算（積）という概念もあるので，混合しないこと。そのために・より。が使われる。

　数学においては，数で成り立つよく知られた性質を具体的モデルにしながら，数以外に対してもそれを広げて考え，その数学的対象を構造化した，新しい数学を考えていく。そして，そこから導き出される結果をいろいろと社会に役立てようというわけである。今日的ないい方をすれば，グローバリゼーションが数学の生命というわけなのだ。

　写像の具体例は，$f(x)=x^2$ や $g(x)=\sin x$ などの関数である。物理的な現象や経済的な出来事はこのような関数という形で捉えられる。

　この関数が，その土台（定義域や値域）の実数の構造とマッチしていることの必要性から連続性や微分可能という関数の性質が考えられ，その性質を使って問題の解決をはかろうとするのが数学的な方法である。

　関数概念は中世からフェルマーやデカルト，ニュートンやライプニッツなどによって，暗示的に使用されてはきたが，関数概念が解析学の基礎となったのはオイラー以降である。18 世紀になって，ライプニッツによってはじめて function（機能）という言葉が使われた。この function の f が後になって記号として使われるようになった。

第 **28** 章

ℵ

濃い〜数？

アレフと読む。これはヘブライ語のアルファベットの最初の文字である。数学でいうアレフは，19世紀に集合論の基礎を築いたドイツのカントルによって考えられた実数の個数を表す数である。もちろん，実数は「無限」にある。

カントルは集合の要素の個数を表すのに個数を一般化した濃度という概念を導入し，二つの集合がお互いの間に1対1の対応があるときにこの二つの集合の濃度が等しいとした。

1対1というのは，二つの集合の間に，お互いに一つずつ対応がついて，過不足がないということである。

豊臣秀吉が織田信長に（豊臣秀吉が千利休に，という説も）山の木の本数を数えよと命じられたときに，秀吉は家来に縄を持ってこさせて，それを適当な長さに切り，この縄をすべての木にくくりつけよと命令したという有名な逸話がある。彼は木の本数を数える代わりに用意した縄の本数から残った縄の数を数えたのである。つまり，木の集合と使った縄の集合が1対1になることに目をつけたというわけだ。

カントルは二つの集合の間にこのような「1対1の対応づけ」という概念を確立して，要素そのものの数を数えることなく二つの集合を比較する方法を提唱した。

余談だが，ピアジェという20世紀のスイスの心理学者に

よれば，数を数えられない子ども達でも二つの集合の個数が比較できるのは，この1対1の対応づけによるらしい。今では，1対1という概念は数という概念の獲得のための非常に重要な概念であるとされている。秀吉のこの知恵は子どもの頃についたものかもしれない。

有限個の要素しか含まない集合は有限集合と呼ばれるが，有限集合のいわゆる濃度はその個数であり，0か自然数のどれかで表される。個数が0の場合があるのかと疑問に思われるであろうが，空の財布というのがあるように，何も含まない集合というのを考えておくと何かと便利である。何も含まない集合を ϕ という記号で表す。この ϕ の濃度は0である。

このようにして，集合の要素の個数を数えることに成功した（個数の算術化）。

有理数とは分数 q/p の形で書ける数のことであるが，この集合はQという文字で表される。有理数の集合Qは，自然数 $N = \{1, 2, 3, \cdots, n, \cdots\}$ を含んでいるが，その濃度はなんと自然数と同じである。

有理数 q/p を平面上での点 (p, q) と考えれば，有理数の

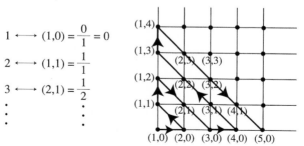

$$1 \longleftrightarrow (1,0) = \frac{0}{1} = 0$$

$$2 \longleftrightarrow (1,1) = \frac{1}{1}$$

$$3 \longleftrightarrow (2,1) = \frac{1}{2}$$

・
・
・

図28　有理数と自然数の濃度

全体は平面上の整数を座標に持つ点（格子点という）と考えることができる。常識的に考えれば，平面上の格子点の集合のほうが大きいように思える。ところが，図 28 のようにするとこの格子点の濃度は自然数と同じであることがわかる。

　実際，この方法で，同じ有理数を示すものは最初に表れた点だけを対応させることにし，負のほうも考えれば N と Q が 1 対 1 に対応することがわかる。

　自然数の濃度は，可算無限（$1, 2, 3, \cdots$ と番号づけできる無限）であり，これをアレフ・ゼロといい，$\aleph_0$ と書く。したがって，Q の濃度は $\aleph_0$ である。

　ところが，実数の濃度は有理数の濃度より大きく，直感では見極められない。実数の濃度は自然数の濃度と違って番号づけができない無限で，非可算無限と呼ばれる。その濃度をアレフといい，$\aleph$ と書く。$\aleph_0 < \aleph$ である。

　集合論は，数学の基礎を考えるために 19 世紀の後半にカントルによって提起された（もっとも，カントルの前に，同じくドイツのワイエルシュトラスやその弟子のボルツァーノ，さらにはデデキントなども集合論の重要ないくつかの結果を得ていた）。有限と無限，離散と連続をどのように考えるかは古代からの哲学的問題であったが，それを数学的に取り扱い，統一的な解決の方法を示したのがカントルであった。

　実数の厳密な定義や極限の概念や，関数の概念など 17 世紀の微積分学が残してきた諸問題に確固たる基礎を与えたのが集合論であった。しかし，このようなカントルの業績はすぐには認められず，不遇な生涯を送った。

∧, ∨, ¬, ⇒
ハムレットに教えたい数学

数学論理の記号である。

∧ は「かつ（and）」の意味であり，∨ は「または（or）」の意味である。⇒ は「ならば」ということであり，「p ならば q である」というのを $p \Rightarrow q$ と表記する。

読者の中には「愛しているの，愛していないの，どちらなの？」という修羅場を体験された方も少なくないかもしれない。ある判断を言語で表したものを命題と呼ぶことにすると「愛している」というのは一つの命題である。この命題を p と表すことにしよう。他方，「愛していない」というのも命題である。これを q と表すことにしよう。

p ＝「愛している」，q ＝「愛していない」

こうすると

(1) $p \wedge q$ は，「愛している」と同時に「愛していない」ということである。

(2) $p \vee q$ は，「愛している」かまたは「愛していない」ということである。

数学は感情を表現するわけではないので，（1）のように

「愛しているのだが，愛していないかもね」

などという文学的な表現は取り扱わない。つまり，「愛しているの，愛していないの，どちらなの？」という冒頭の問い

に対しては，p か q かのどちらかを選ぶのが数学の立場である。実際の場面では，数学のようにはいかないから悩むのである。ハムレットの苦悩もここにある。

　ある命題 p の否定の命題は数学論理の記号を使えば $\neg p$ と表される。「愛している」という命題を p とすれば，「愛していない」は $\neg p$ である。

　数学には p か $\neg p$ の立場しかない。したがって，数学の論理では，愛しているか愛していないかわからないような曖昧（あいまい）な中間的立場は認めない。このような立場（原理）を排中律という。この原理があるから数学の論理はスムーズに進むのである。つまり，あなたの思いがどうであろうともそんなことには無関係に「あなたの思いは $p \vee q (= p \vee \neg p)$ である」というのは常に正しい，というわけである。

　数学の論理では，$p \vee \neg p$ を常に正しいと認め，$p \wedge \neg p$ は常に間違っている（これを矛盾律という）とする立場をとる。

　$p \wedge \neg p$ という命題は常に「嘘（間違い）」であるとするのだから，「君を愛しているよ，だけど愛していないかもね」というのは，数学的には「嘘」である。数学は冷たいわけではなく，そこで使える論理をはっきりさせておかないと明確な結論が得られないのである。よって，その論理さえ守れば，数学ほどすっきりしたものはない。

　$\wedge, \vee, \Rightarrow$ に関する真理表は図 29 のようになる。

　数学の論理的立場としては，イギリスのラッセルの「論理主義」，オランダのブラウアーの「直観主義」，ドイツのヒルベルトの「形式主義」などがある。20 世紀になってからの話である。

「論理主義」は，数学を論理的概念によってのみ構成すべき

p	q	$p \vee q$	$p \wedge q$	$p \Rightarrow q$
真	真	真	真	真
真	偽	真	偽	偽
偽	真	真	偽	真
偽	偽	偽	偽	真

図29 ∧，∨，⇒に関する真理表

という主張で，論理主義者の数学と評された。一方，「直観主義」は排中律を常に正しいこととしては認めないという立場である。現在では，これらの考えがそれぞれに融合して，ヒルベルトの「形式主義」を中心とする立場がとられている。「形式主義」の立場は，数学を公理系によって規定された演繹体系（論理によって結論を導く体系）と考え，形式化された数学における証明を問題にする。ヒルベルトは，数学は形式的体系で表現できるものだけを用いて構成でき，その形式的体系自身が矛盾（p と $\neg p$ が同時に証明されること）を含まないことを示そうとした。

　しかし，オーストリアからアメリカに移ったゲーデルによって，この両方の要請を満たす形式的体系を作るのは困難であることが示された。1931年に証明された有名な不完全性定理である。

　数学は論理に沿って推論し結論を導くものであるが，数学をたんなる論理と勘違いしてほしくない。20世紀の偉大な数学者の一人，フランスのルネ・トムは，「数学教育で大切なことは，厳密さにではなくその意味の構成にある」といっている。数学からその意味するものを是非学んでいただきたい。

第 **30** 章
ε ， δ
悩ましきかな ε-δ 論法

　ε（イプシロン）は非常に小さい量を表すのに用いられ，δ（デルタ）も同様に小さい量を表す。εとδはペアで用いられることが多い。どちらもギリシャ文字である。

　まずε, δであるが，大学初年度の微分積分でやるはめになる関数の連続性の定義に出てくる。そう，多くの学習者を悩ますε-δ論法と呼ばれる連続性の定義である。それは次のような内容である。

　関数 $f(x)$ がある点 $x=a$ で連続であるとは，

　　任意の $ε$ に対して，ある $δ$ が存在して，
　　$|x-a|<δ$ ならば $|f(x)-f(a)|<ε$ とできる

というものである。

　高校では，

　　$x \to a$ のとき $f(x) \to f(a)$

とか，

　　$\lim_{x \to a} f(x) = f(a)$

とか書かれている（ただし，→ は近づくという記号であり，lim も同じ意味の記号である）。高校の定義は直感的に納得

できるものである。

これを言葉に直してみると，x が a に限りなく近づくとき，$f(x)$ は $f(a)$ に限りなく近づくということである。

そこで，実際に高校の定義で，$f(x)=x^2$ の $x=1$ における連続性を確かめてみよう。

いやしくも「数学」である以上，「x が 1 に限りなく近づく」なら「$f(x)$ は $f(1)=1$ に限りなく近づく」ということを具体的に確かめなければならない。「x が 1 に限りなく近づく」を具体化するにはどうするのか。

$x=9/10$ とすれば，確かに x は 1 に近い。これを代入すると $f(9/10)=81/100$ となるからやはりこれも 1 に近いことがわかる。

次はどうするか？

$9/10$ より 1 に近い点をとって確かめるか。その場合も $f(x)$ は $f(1)=1$ に近いだろう。しかし，いつになったら確かめたといえるのだろうか？　いつ終わりにしたらいいのだろうか？　私の一生はこれで終わってしまうではないか。はたと困る。これでは際限のない迷路に迷い込んでしまう。

このように，「x が a に限りなく近づく」とか「$f(x)$ は $f(a)$ に限りなく近づく」といういい方は直感的には納得できるのだが，具体的にやろうとすると困ってしまう。

$y=x^2$ のグラフを書けば，ひとつながりの曲線（放物線）なので，x を 1 に近づければ $f(x)$ も $f(1)=1$ に近づくのは当たり前だといういい方もできる。

ところが驚くべきことに，この関数を初めて習う中学生にこの関数のグラフを書かせると，x の値をいくつかとってき

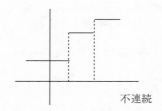

連続

不連続

図30　連続と不連続

て $f(x)$ の値を計算してその点を方眼紙上に書くことは書くのだが，その途中を曲線で結ばない生徒が何人も出現する。つまり，彼らは途中がどうなっているかがわからないから，点と点の間を線で結ぶのを躊躇<ruby>躇<rt>ちゅうちょ</rt></ruby>してしまうのである。

我々はすでにつながった曲線を想像しているから，連続的であることを直感的に納得しているにすぎない。したがって，この中学生のように $y = f(x) = x^2$ が何を表すかわからないときには，いまのような直感的な推論はできないのである。

ようするに，どの場合にも具体的に使えるような数学的表現がどうしても必要となってくる。

この問題に手をつけて，解析学を幾何学的直感から独立させ，実数論の基礎の上に考えたのが，19世紀を代表するドイツの数学者ワイエルシュトラスである。

ワイエルシュトラスが冒頭に述べた ε-δ を使った数学的表現を導入し，彼の影響を受けたドイツのハイネらがこの論法を普及させたのである（当時は，δ ではなく η（イータ）だった）。

この大発見による現代数学の飛躍が，高校数学と大学数学

のギャップに端的に表れている。

高校での連続性の定義,

$$x \to a \text{ のとき } f(x) \to f(a)$$

と, ε-δ による連続性の定義,

任意の ε に対して, ある δ が存在して,
$|x-a| < \delta$ ならば $|f(x)-f(a)| < \varepsilon$ とできる

との間には大きな溝があり, 大学での数学を難しく感じさせている。

ただ, なんだかんだいっても, この定義の意味をつかめば, あとは計算しさえすればいいのでラクである。

ようするに, まず $|f(x)-f(a)| < \varepsilon$ となるような正の小さな量 ε があったとしなさい。そのときに, $|x-a| < \delta$ となるような量 δ がとれますか? といっているわけである。

したがって,

$$|f(x)-f(1)| = |x^2-1| < \varepsilon$$

として, このとき, δ をうまく見つけて,

$$|x-1| < \delta \text{ ならば } |f(x)-f(1)| = |x^2-1| < \varepsilon$$

であることを示せばよい。

$x^2-1 = (x-1)^2 + 2(x-1)$ なので, 次のような δ であればよい。

$$|x^2-1| \leq |x-1|^2 + 2|x-1| < \delta^2 + 2\delta < \varepsilon$$

最後の不等式の両辺に 1 を加えると, $\delta^2 + 2\delta + 1 < \varepsilon + 1$ な

ので，

$$(\delta+1)^2 < \varepsilon+1$$

正だけを考えれば，

$$\delta+1 < \sqrt{\varepsilon+1}$$

となる。したがって，

$$\delta = \sqrt{\varepsilon+1}-1$$

と δ をとればよいことになる。

ε 嬢とお近づきになりたいが，いい手がなかなか見つからない δ 氏。多くの人は，このような証明をみると ε 嬢に対する δ 氏の憂鬱と悩みに強い共感を寄せるようである（ホントかな？）。

技巧的な細工がなんともしっくりこない人も多いだろう。しかしここでは，連続というものが数学的にきちんと定式化できるということを認識できればいいのである。

ワイエルシュトラス以前の人は，どんな偉大な数学者でも幾何学的直感で納得していたのだから，ε-δ 論法が理解できないからといってとりたてて悩む必要はない。慣れればわかったつもりになれるものなのである。わかったつもりになることも数学を学ぶのには必要である。それを他の人に伝えるときに初めてはっきりとわかるということもよくあるので，ゆっくりじっくり理解しよう。

第 **31** 章

max, min
大きい小さいにもいろいろある！

max は最大（maximum），min は最小（minimum）を表す記号である。

最大，最小といえば，入試問題の常連である。

例えば，

「$0 \leqq x < 2$ での $f(x) = x^2$ の最大値を求めよ」

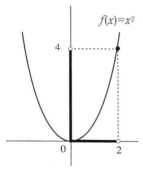

図 31-1　2次関数の最大値と最小値

とあったら，$f(x)$ は $0 \leqq x < 2$ で単調増加だからその値の集合は $[0, 4)$ となり（$0 \leqq f(x) < 4$），最大値はないというのが正解である。最小値は 0 である。これは，

$$\underset{0 \leqq x < 2}{\mathrm{Min}}\, f(x) = 0 \quad \text{とか}$$

$$\underset{0 \leqq x < 2}{\min}\, f(x) = 0$$

と表記される。

ある集合 S があったときに，その中で一番大きなものをその集合の最大要素という。その最大要素が p であれば，

$$\text{Max } S = p \quad \text{とか} \quad \max S = p$$

と表記する。

また，その中で一番小さなものをその集合の最小要素といい，その最小要素が q であれば，

$$\text{Min } S = q \quad \text{とか} \quad \min S = q$$

と表記する。

例えば，S が 0 から 2 までの区間とする。これを記号で書くと

$$S = [0, 2] = \{x \mid 0 \leqq x \leqq 2, x \in \mathbb{R}\}$$

と表記されるが，このときは，S の最大の要素は 2 であり，最小の要素は 0 なので，

$$\max S = 2, \quad \min S = 0$$

である。

最大，最小について，もう少し数学的に表現すれば，集合 S の要素 p が存在して，S の任意の要素 s に対して $s \leqq p$ となるときに，p のことを S の最大要素（数値の場合は最大値）と呼んで，

$$\max S = p$$

と書く。

数学記号で書けば，次のようになる。

$$\exists p \in S ; s \leqq p, \quad \forall s \in S$$

数学記号の場合は，ちょうどそれを英語で書いた順序になる（There exists an element p of S such that s is smaller than p for all s of S）。∃ は exist，∀ は all を表す記号。

一方，S の最小要素（または最小値）とは，次の条件を満たす q のことである。

$$\exists q \in S ; s \geqq q, \quad \forall s \in S$$

ところで，$T = [0, 2)$ とすると T には最大値は存在しない。したがって，$\max T$ を考えることは意味のないことになるが，最大値に似た次のような概念を考えることができる。それは上限と呼ばれる数で，sup を用いて表す。

いま，$T = [0, 2)$ をその外側の世界も考えて，実数全体の中の一部分として見たとき，2 は次の性質を持つ要素（＝数）である。

(1) 実数 2 は T にはないが，T の中のどの要素よりも大きくて，

(2) 2 よりも少しでも小さい要素は（T の要素なので 0 以上という制限はつくが），すべて T の要素である。

つまり，2 は T のどんな数よりも大きいが，その中ではもっとも小さいものであるということである。そのような数を T の上限（supremum）といって，

$$\sup T = 2$$

と書く。

別の説明をすれば，T のどの数より大きい数を T の上界（upper bound）と

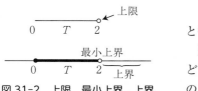

図 31-2　上限，最小上界，上界

いう（上界というと範囲を指すように思うかもしれないが，ここでは要素を指している）。2 だけでなく，3 や 4.5 もすべて T の上界である。T の上界の中でもっとも小さいものが T の上限ということになる。それは，最小上界（least upper bound）ともいい，

　　l.u.b T

とも表記する。つまり，sup T = l.u.b T = 2 ということである。

　同じことは，$U = (0, 2]$ についてもいえる。U を実数全体で考えれば，0 は次のような性質を持つ要素（＝数）である。

(1) 実数 0 は U にはないが U の中のどの要素よりも小さい

(2) 0 よりも少しでも大きい要素は（U の要素なので 2 以下という制限はつくが），すべて U の要素である。

　このときに，0 を U の下限（か　げん）といって，

　　inf $U = 0$

と表記する。

　これは上限と同様，U のどの数より小さい数を U の下界（か　かい）（lower bound）といい，この下界の中で最大のものが U の下限（infimum）である。これは，最大下界（greatest lower bound）ともいい，

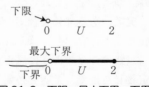

図 31-3　下限，最大下界，下界

　　g.l.b U

と表記する。

したがって，inf U＝g.l.b U＝0 となる。

もちろん，V＝$(0, \infty)$ のように，max V も min V も sup V もないが，inf V のみあるという場合もある。ここでは inf V＝0 である。

一方，sup V や inf V が存在しない場合には，sup V＝∞，inf V＝$-\infty$ と表記することがある。

上限や下限は，全体の中での部分の端点に関する概念なので，実数の連続性（つながり）の問題や数列の極限を議論するときに重要である。

実数のある部分集合 W を考えたときに，ある数値 M があって，W のどんな要素 w も M よりも小さい（$w \leqq M$）ならば，W は上に有界といわれる。一方，ある数値 K があって，W のどんな要素も K よりも大きい（$w \geqq K$）ならば，W は下に有界といわれる。上にも下にも有界な集合はたんに有界という。

ワイエルシュトラスは，実数において次のような性質が成り立つことを示した。

「実数のある部分集合 W が，上に有界ならば sup(W) が存在し，下に有界ならば inf(W) が存在する」

当然のことのように思えるが，実数とは何かということを定義した後で，証明を必要とすることがらなのである。

第 32 章

e^x, exp
数学のウルトラマン

　関数の記号には，f, g, h などが用いられるが，指数関数
（exponential function）の場合には exp を用いることが多い。

　一般的に連続な関数 $f(x)$ が，$f(x+y)=f(x)f(y)$ の性
質を持つとき f を指数関数という。x が実数上を連続的に動
くとき $f(x)$ も切れ目なく連続的に動くということである。
実際，指数関数 a^x を関数的な表記で $f(x)=a^x$ とすれば，

$$f(x+y) = a^{x+y} = a^x a^y = f(x)f(y)$$
　　　（足し算は掛け算になる）

が成り立つ。実は，$f(x+y)=f(x)f(y)$ の性質があれば，
f はある正の数 a が存在して，$f(x)=a^x$ と書けることが知
られている（第 8 章）。このとき a を f の底という。

　指数関数 $f(x)=a^x$ の代わりに $f(x)=\exp_a x$ と表記した
り，$\exp_a x=a^x$ と表記したりする。たんに $\exp x$ と書いたら
e^x を意味する（e はネイピア数で，$e=2.718\cdots$）。e^x はその底
が e になった指数関数である。数 e は数列，

$$a_n = \left(1+\frac{1}{n}\right)^n \quad n = 1, 2, 3, \cdots$$

の極限として得られる数で，オイラーがネイピアの対数表を
研究していた途中で発見したもので（第 9 章参照），

$$e = \lim_{n \to \infty}\left(1+\frac{1}{n}\right)^n$$

という式である。記号 $\lim\limits_{n \to \infty}$ は n を限りなく大きくしたとき

のこの数列 $\left(1+\dfrac{1}{n}\right)^n$ の極限を示している。

ところで，両辺を x 乗すると，

$$e^x = \left(\lim_{n \to \infty}\left(1+\frac{1}{n}\right)^n\right)^x = \lim_{n \to \infty}\left\{\left(1+\frac{1}{n}\right)^n\right\}^x$$

（細かいことを無視して，x 乗を $\lim$ の中に入れる）

$$e^x = \lim_{n \to \infty}\left(1+\frac{1}{n}\right)^{nx} \quad (m = nx \text{ とおく})$$

$$= \lim_{m \to \infty}\left(1+\frac{x}{m}\right)^m$$

となる。

次に，$\lim$ は無視してこの両辺を x で微分してみると，

$$(e^x)' = (\lim_{m \to \infty}(1+x/m)^m)'$$

$$= \lim_{m \to \infty}\{m(1+x/m)^{m-1}\cdot(1/m)\}$$

$$= \lim_{m \to \infty}\{(1+x/m)^m/(1+x/m)\}$$

（分母の $1+x/m$ は，$m \to \infty$ となるとき 1 に近づく）

$$= \lim_{m \to \infty}(1+x/m)^m$$

$$= e^x$$

つまり，e^x は微分しても e^x なのである（$(e^x)' = e^x$）。

したがって，微分と積分が逆の演算であることを考えると
これは非常に都合のいい関数である。

$$(e^x)' = e^x, \quad \int e^x \mathrm{d}x = e^x + C \quad (C \text{ は任意定数})$$

現実の現象で観察される単純なモデルは，人口増加や細胞分裂のように変化の仕方が現在量に比例するものである。時間で変化していく現在量を時間 t の関数として $x(t)$ とすれば，

　$dx/dt = mx$　（m は比例定数）

という方程式で表される。e^x の微分が形を変えないことから容易にわかるように，この答えは，

　$x = Ce^{mt}$　（C は $t=0$ のときの x の値）

である。このように e^x は非常に身近にある関数である。もちろん，e^x の重要性はこれだけにとどまるものではない。

　x が複素数になるとなくてはならないものとなる（第10章）。その橋渡しには，e^x の級数展開が重要である。e^x のマクローリン展開を求めれば，次のようなきれいな形になる。

$$e^x = 1 + x + \frac{x^2}{2!} + \frac{x^3}{3!} + \cdots + \frac{x^n}{n!} + \cdots$$

e^x は解析の宝。現代の解析学は e^x なくしては語れない。

Column　　　　　　　　　　　　　　テイラー展開

$f(x)$ が何回でも微分できる関数であれば，$x=a$ において次の形に展開できる。

$$f(x) = f(a) + \frac{f'(a)}{1!}(x-a) + \frac{f''(a)}{2!}(x-a)^2 + \cdots$$
$$+ \frac{f^{(n)}(a)}{n!}(x-a)^n + \cdots$$

少々厳密性に欠けるが，これをテイラー級数（または，テイラー展開），とくに $a=0$ のときをマクローリン展開という。ちなみにテイラーは18世紀前半のイギリスの数学者である。テイラーがケンブリッジ大学に入学した年に，ニュートンが同大学を退職している。

sinh, cosh, tanh
記号の兄弟仁義

sinh, cosh, tanh は，変数 x を伴って，$\sinh x$, $\cosh x$, $\tanh x$ というように表記される。

それぞれ，ハイパボリックサイン，ハイパボリックコサイン，ハイパボリックタンジェントと読む。ハイパボリック（hyperbolic）というのは双曲的ということであり，これらは双曲線関数と呼ばれる。

これは次のような関数である。

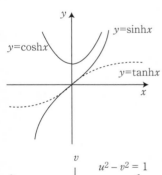

$$\sinh x = (e^x - e^{-x})/2$$
$$\cosh x = (e^x + e^{-x})/2$$
$$\tanh x$$
$$= \sinh x / \cosh x$$
$$= (e^x - e^{-x})/(e^x + e^{-x})$$

このことから，

$$\cosh^2 x - \sinh^2 x = 1$$

が成り立つ。したがって，$u = \cosh x$, $v = \sinh x$ と お け

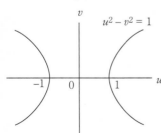

図 33-1　双曲線関数

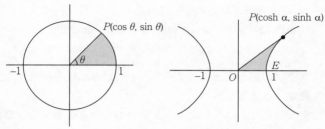

パラメータの θ は中心角（ラジアン）で，扇形の面積が $\theta/2$ となる。

α は，OEP の面積が $\alpha/2$ となるようなパラメータである。

図 33-2　sin cos と sinh cosh

ば，

$$u^2 - v^2 = 1$$

となる。これは，双曲線の式である。

いま，(u, v) 座標で考えて，x をパラメータと見なせば $(\cosh x, \sinh x)$ がこの曲線上の座標ということになる。これはちょうど，$(\cos x, \sin x)$ が単位円上の座標を表しているのに類似している。このことが，双曲的と呼ばれる理由であり，三角関数 sin, cos と似た記号が用いられる理由である。この関数は，円 $x^2 + y^2 = 1$ と双曲線 $x^2 - y^2 = 1$ の座標の比較から，18 世紀に発見された。

その他，三角関数に類似した公式が成り立つ。

$$\cosh x \geqq 1, \quad |\tanh x| \leqq 1$$
$$\sinh(-x) = -\sinh x, \quad \cosh(-x) = \cosh x$$
$$\tanh(-x) = -\tanh x$$
$$(\cosh x + \sinh x)^n = \cosh nx + \sinh nx$$

（ド・モアブルの公式に対応）

$$\sinh (x+y) = \sinh x \cosh y + \sinh y \cosh x$$
$$\cosh (x+y) = \cosh x \cosh y + \sinh x \sinh y$$

グラフの形からわかるように，$y = \cosh x$ は身の回りでよく見かける曲線である。

貴女の首にかけられたネックレスのたわみの形もそうであるし，電線のたわみなどもこの曲線になることが知られている。

18世紀，ドイツのランベルトは三角関数で使われている記号と同様の上記の記号を導入し，この関数の普及に努めた。これらの関数は，ランベルトがもう一歩で到達するはずであった幾何学，つまり三角形の内角の和が180°より小さい非ユークリッド幾何学（双曲幾何学）の三角法として活躍することになる。歴史の皮肉というか，学問的啓示の皮肉というか，なんともミステリアスな話である。

イギリスのド・モアブルは，円の扇形の面積と直角双曲線の扇形の面積の関係を調べた時に，この双曲線関数の発見の一歩手前までいったのだが，双曲線関数に関する成果のほとんどは，後世のイタリアのヴィンツェンツォ・リカッチ（微分方程式で有名なヤコポ・リカッチの息子）によってなされた。

sgn
アミダくじから行列式へ

sgn は 19 世紀のドイツの数学者クロネッカーが導入した記号で，sign（符号）の略である（ラテン語では，signum）。

符号とは，$+1$ または -1 を示すものである。

したがって，sgn が単独で用いられることはなく，「a の符号は？」という意味で $\mathrm{sgn}\,a$ と表記される。sgn の代わりに ε を用いる場合もある。

例えば，ある町の住民 A が，男性なら -1，女性なら $+1$ を割り当てることにする。したがって，$\mathrm{sgn}\,A = 1$ であれば，A さんは女性ということになる。

少し数学的にいえば，sgn はある町の住民の集合から $\{-1, +1\}$ への「対応」ということである。

$$\mathrm{sgn} : ある町の住民 \to \{-1, +1\}$$

ところで中学校で出てくる絶対値 $|a|$ というのは，

$$|a| = a \quad (a \geqq 0)$$
$$ = -a \quad (a < 0)$$

である。

そこで，$a \geqq 0$ ならば $\mathrm{sgn}\,a = 1$ とし，$a < 0$ ならば $\mathrm{sgn}\,a = -1$ と決めることにすれば，

$$|a| = (\text{sgn}\, a)a$$

と書ける。つまり，sgn を用いれば，$|a|$ は一つの式で書ける。数学では式を運用していくことが多いから，前者より後者のように一つの式で書いておくほうが便利である。

このsgnは大学初年度の，行列式のところで出てくる。

$\{1, 2, 3\}$ から $\{1, 2, 3\}$ の1対1の対応を考えてみると，

$$1 \to 2, \quad 2 \to 3, \quad 3 \to 1 \ \text{とか} \ 1 \to 1, \quad 2 \to 3, \quad 3 \to 2$$

などが考えられる。これらを縦に並べて

1 2 3

$$\begin{pmatrix} 1 & 2 & 3 \\ 1 & 3 & 2 \end{pmatrix}$$

1 3 2

1 2 3

$$\begin{pmatrix} 1 & 2 & 3 \\ 3 & 1 & 2 \end{pmatrix}$$

3 1 2

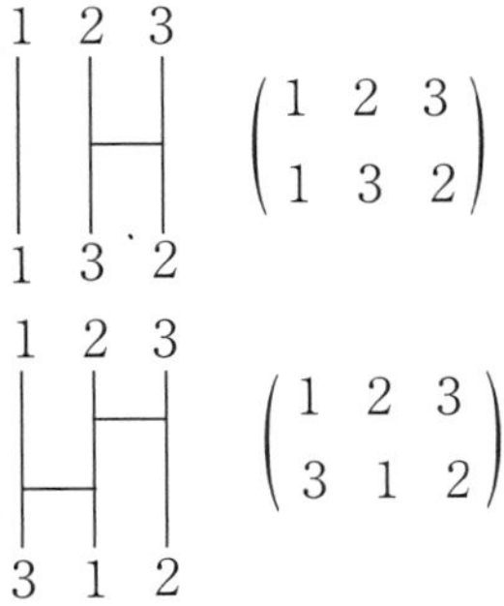

図 34-1　アミダくじの置換

$$\begin{pmatrix} 123 \\ 231 \end{pmatrix}, \begin{pmatrix} 123 \\ 132 \end{pmatrix}$$

というように表記すると便利である。このようなものを置換というが，この場合は全部で3!(=6) 通りある。

例えば，図のようなアミダくじは，置換 $\begin{pmatrix} 123 \\ 132 \end{pmatrix}$, $\begin{pmatrix} 123 \\ 312 \end{pmatrix}$ と考えられる。

したがって，123 と 123 を結ぶ本質的に異なるアミダくじは6通りであるといえる。

これらの置換のすべては次のようになる。

$$\begin{array}{cccccc} 1 & 2 & 3 & 4 & 5 & 6 \\ \begin{pmatrix} 123 \\ 123 \end{pmatrix} & \begin{pmatrix} 123 \\ 132 \end{pmatrix} & \begin{pmatrix} 123 \\ 312 \end{pmatrix} & \begin{pmatrix} 123 \\ 213 \end{pmatrix} & \begin{pmatrix} 123 \\ 321 \end{pmatrix} & \begin{pmatrix} 123 \\ 231 \end{pmatrix} \end{array}$$

特に，二つの文字を入れ替える操作を互換という。

2番目の置換は，二つの数字2と3を入れ替えているので

一回の互換が行われている。6 番目の置換は，1 と 2 を入れ替えて，さらに 1 と 3 を入れ替えている。したがって，この場合は本質的には二回の互換が行われた結果だと考えればよい。

そこで，置換が偶数回の互換からできている場合に 1，奇数回の互換からできている場合に -1 の符号を与える。

$$\text{sgn}\begin{pmatrix}123\\231\end{pmatrix} = 1, \quad \text{sgn}\begin{pmatrix}123\\132\end{pmatrix} = -1$$

という具合にである。そうすると，$\{1, 2, 3\}$ のすべての置換の sgn は次のようになる。

$$\begin{pmatrix}123\\123\end{pmatrix}\begin{pmatrix}123\\132\end{pmatrix}\begin{pmatrix}123\\312\end{pmatrix}\begin{pmatrix}123\\213\end{pmatrix}\begin{pmatrix}123\\321\end{pmatrix}\begin{pmatrix}123\\231\end{pmatrix}$$

$$\text{sgn} \quad + \quad - \quad + \quad - \quad - \quad +$$

さて，大学初年度で習う 3 次の行列式は次のように定義される。

$$\begin{vmatrix}a_{11} & a_{12} & a_{13}\\a_{21} & a_{22} & a_{23}\\a_{31} & a_{32} & a_{33}\end{vmatrix} = \text{sgn}\begin{pmatrix}123\\123\end{pmatrix}a_{11}a_{22}a_{33} + \text{sgn}\begin{pmatrix}123\\312\end{pmatrix}a_{13}a_{21}a_{32}$$

$$+ \text{sgn}\begin{pmatrix}123\\231\end{pmatrix}a_{12}a_{23}a_{31} + \text{sgn}\begin{pmatrix}123\\321\end{pmatrix}a_{13}a_{22}a_{31}$$

$$+ \text{sgn}\begin{pmatrix}123\\213\end{pmatrix}a_{12}a_{21}a_{33} + \text{sgn}\begin{pmatrix}123\\132\end{pmatrix}a_{11}a_{32}a_{23}$$

これは，ちょうど各行各列から一個ずつ数字を選んで掛けて，それに符号をつけた総和を考えたものである。

いま，1 行目で 2 列目にある数字 a_{12} を選んだとする。その次には，2 行目で 2 列目を除いたところにある数字 a_{21} か a_{23} を選ぶ。a_{21} を選んだとすれば，3 行目では今までとは違った列，つまり 3 列目の数 a_{33} を選ぶ。こうして，これらを掛けた

ものは

$a_{12}a_{21}a_{33}$

である。いま選んだ行と列の 12, 21, 33 を縦に並べたものは
置換 $\begin{pmatrix} 123 \\ 213 \end{pmatrix}$ になる。この置換の符号 $\mathrm{sgn}\begin{pmatrix} 123 \\ 213 \end{pmatrix}$ を $a_{12}a_{21}a_{33}$ に
つける。

　その符号は上に述べた通りであるから，3 次の行列式は次
のようになる。

$$\begin{vmatrix} a_{11} & a_{12} & a_{13} \\ a_{21} & a_{22} & a_{23} \\ a_{31} & a_{32} & a_{33} \end{vmatrix} = \begin{array}{l} a_{11}a_{22}a_{33} + a_{21}a_{32}a_{13} + a_{31}a_{12}a_{23} \\ - a_{13}a_{22}a_{31} - a_{12}a_{21}a_{33} - a_{11}a_{32}a_{23} \end{array}$$

　この 3 次の行列式を覚えるのはそんなに難しくはない。サ
ラスの方法と呼ばれる便利な覚え方がある（下図）。

　ところが，4 行 4 列の 4 次の行列式になると $\{1, 2, 3, 4\}$ と
四つの数字の置換を考えることになるから，その個数は 4!
（=24）個である。これを覚えるのはそう簡単ではない。し
たがって，4 次より大きな行列式は，行列式の性質をうまく
利用して計算する必要が出てくる。そのために，どうしても
行列式の持つ性質を少しは知っておくことが必要となる。

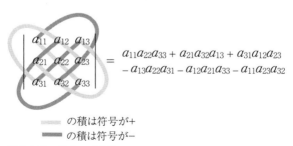

$$\begin{vmatrix} a_{11} & a_{12} & a_{13} \\ a_{21} & a_{22} & a_{23} \\ a_{31} & a_{32} & a_{33} \end{vmatrix} = \begin{array}{l} a_{11}a_{22}a_{33} + a_{21}a_{32}a_{13} + a_{31}a_{12}a_{23} \\ - a_{13}a_{22}a_{31} - a_{12}a_{21}a_{33} - a_{11}a_{23}a_{32} \end{array}$$

　　　 の積は符号が+
　　　 の積は符号が−

図 34-2　サラスの方法

第 **35** 章

$$\begin{vmatrix} a & b \\ c & d \end{vmatrix}$$

連立方程式一発解答法

$|\ \ |$ は，行列式の記号であり，この記号は 19 世紀のイギリスの数学者ケーリーによって導入された。行列式はもともと連立方程式を解くために考えられたものである。

連立方程式そのものはすでに古代バビロニアの時代から知られていた。古代中国の『九章算術』（紀元前 1 世紀〜紀元後 2 世紀に書かれたといわれる）には，中学校で習う消去法（未知数を減らして解いていく方法）による連立方程式の解き方が紹介されていて，それを解くために正負の数の扱いもなされている。しかし，行列式そのものに最初に言及したのはライプニッツと，江戸時代の日本の数学者である関孝和である。

行列式とは，文字通り，行と列に置かれた数字から算出される値のことである。

例えば，

$$\begin{vmatrix} 1 & 2 \\ 3 & 4 \end{vmatrix}$$

は 2 次の行列式と呼ばれ，$1\cdot4-2\cdot3=-2$ と計算される。

このように行列式は一つの値であるから，その値が簡単に算出されるのならこのような記号は不必要である。しかし，後半に述べるが，実際には簡単には求まらない。だからこのような記号で一旦表記しておくのである。記号的表記は，そ

れを求めるための操作的な手続きにも便利である。

ところで，行列式を用いると連立1次方程式はいとも簡単に解ける。中学生がこの解法を知ると消去法や代入法をやめてしまうほどの強力な公式である。

$$2x+3y = 1$$
$$4x+5y = 2$$

を例にとると，

$$x = \begin{vmatrix} 1 & 3 \\ 2 & 5 \end{vmatrix} \bigg/ \begin{vmatrix} 2 & 3 \\ 4 & 5 \end{vmatrix} = (1 \cdot 5 - 3 \cdot 2)/(2 \cdot 5 - 3 \cdot 4) = 1/2$$

$$y = \begin{vmatrix} 2 & 1 \\ 4 & 2 \end{vmatrix} \bigg/ \begin{vmatrix} 2 & 3 \\ 4 & 5 \end{vmatrix} = (2 \cdot 2 - 1 \cdot 4)/(2 \cdot 5 - 3 \cdot 4) = 0$$

一般に，n 個の未知数を持つ n 個の連立1次方程式は，その係数の作る n 次の行列式が0でなければ，上に述べた2次の場合と全く同じ公式で解ける。これは今日ではクラメルの公式と呼ばれている。クラメルは18世紀のスイスの数学者である。最初に述べた例でいえば，係数の作る行列式

$$\begin{vmatrix} 2 & 3 \\ 4 & 5 \end{vmatrix} \cdots\cdots①$$

係数の作る行列式の x の係数を定数項（＝の右の数字）で置き換えた行列式

$$\begin{vmatrix} 1 & 3 \\ 2 & 5 \end{vmatrix} \cdots\cdots②$$

とすると，$x = ②/①$ となる。y も同様である。

未知数が増えてもこの原理は同じであるが，係数の作る行列式は0ではだめだという条件が必要である（分母が0ではだめだから）。

ところで，行列式は行の数と列の数が同じ場合にのみ計算

されるが，その計算は行と列の数が増えると急に難しくなる。これを簡単に求めるには，あるアルゴリズムを必要とする。それは行列式の性質に従って，各列，各行に多くの 0 を作り，ラプラスが考えた展開公式を何度か繰り返し使って計算する方法である。ラプラスは 18 世紀フランスの数学者である。

　3 次の行列式はライプニッツが計算しているが，それは次のような不定解を持つ連立 1 次方程式の考察においてであった。彼は行列式の記号は用いてはいないが，今日流に書けば次のように述べて行列式の計算をしている。

$$10+11x+12y = 0$$
$$20+21x+22y = 0$$
$$30+31x+32y = 0$$

が，解を持つならば以下のようになる。

$$\begin{vmatrix} 10 & 11 & 12 \\ 20 & 21 & 22 \\ 30 & 31 & 32 \end{vmatrix} = \begin{aligned} & 10 \cdot 21 \cdot 32 + 11 \cdot 22 \cdot 30 + 12 \cdot 31 \cdot 20 \\ & -12 \cdot 21 \cdot 30 - 11 \cdot 20 \cdot 32 - 10 \cdot 31 \cdot 22 = 0 \end{aligned}$$

　このように 3 次の行列式は機械的に計算できる（前章でも書いたサラスの方法である）。しかし，4 次以上になるとその項が 4!=24 個になってしまうから，覚えるのがすごく大変である。その意味では，実際の連立 1 次方程式の具体的な解をクラメルの公式から機械的に手計算できるのは，せいぜい 3 個の未知数と 3 個の式からなる連立 1 次方程式までである。

　行列式は，連立 1 次方程式に関連して認識されたが，今日ではそれにとどまるものではない。実は行列式は，ベクトルの概念やそれで表される図形の面積とも深く結びついている。

　例えば，平面上の二つのベクトルで作られる平行四辺形の面積は行列式で表されるし，空間の三つのベクトルで作られ

る平行六面体の体積も行列式で表される（第44章参照）。

$\boldsymbol{a}=(a_1, a_2)$, $\boldsymbol{b}=(b_1, b_2)$ で作られる平行四辺形の面積は,

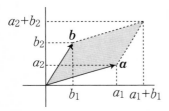

左図からわかるように,

$$(a_1+b_1)(a_2+b_2)$$
$$-a_1 a_2 - b_1 b_2 - 2a_2 b_1$$
$$= a_1 b_2 - a_2 b_1$$
$$= \begin{vmatrix} a_1 & a_2 \\ b_1 & b_2 \end{vmatrix}$$

図35　平行四辺形の面積と行列式

である（面積は正なので, 正確にはこの値の絶対値である）。

実をいうと, 行列式というのは行列よりも先にできた概念である。行列と行列式を混同している学生をよく見受けるが, 行列式はある一つの値であり, 行列は表現そのものである。

行列には, 次のように（　）の記号を用いる。

$$\begin{pmatrix} 10 & 11 & 12 \\ 20 & 21 & 22 \\ 30 & 31 & 32 \end{pmatrix}$$

また行列はアルファベットの大文字 $A, B, C, \cdots$ を用いて,

$$A = \begin{pmatrix} 10 & 11 & 12 \\ 20 & 21 & 22 \\ 30 & 31 & 32 \end{pmatrix}$$

のように書き, 「行列 A は……」といういい方をする。また,

$$A = (a_{ij}) \quad (1 \leq i, j \leq n)$$

のような行列表記もある。行列に A を用いた時は行列式は $|A|$ （または $\det A$）と表記される。行列式（determinant）という用語を導入したのはフランスのコーシーである。

第 **36** 章

rank
数学にもランキングがある？

　rank は階数といわれる。ベクトルや行列に関係した概念であり，独立なベクトルの個数，連立方程式の解の空間の次元や解の存在・非存在等に関係している。

　例えば，次のような連立方程式を考える。

$$3x + 2y - 5z + 2w = 0$$
$$2x + 5y - 18z + 5w = 0$$
$$4x - y + 8z - w = 0$$

これは，次のようにも書ける。

$$x\begin{pmatrix} 3 \\ 2 \\ 4 \end{pmatrix} + y\begin{pmatrix} 2 \\ 5 \\ -1 \end{pmatrix} + z\begin{pmatrix} -5 \\ -18 \\ 8 \end{pmatrix} + w\begin{pmatrix} 2 \\ 5 \\ -1 \end{pmatrix} = \begin{pmatrix} 0 \\ 0 \\ 0 \end{pmatrix} \quad (1)$$

ここで，

$$\begin{pmatrix} 3 \\ 2 \\ 4 \end{pmatrix}, \begin{pmatrix} 2 \\ 5 \\ -1 \end{pmatrix}, \begin{pmatrix} -5 \\ -18 \\ 8 \end{pmatrix}, \begin{pmatrix} 2 \\ 5 \\ -1 \end{pmatrix}$$

をベクトルと考えれば，連立方程式を解くことは，これらのベクトルに適当な数 x, y, z, w を掛けて，その和がゼロベクトルになるようなものを探すことである。

　いま，これらのベクトルを a, b, c, d で表し，ゼロベクトルを 0 とすれば，満たすべき式は，

$$x\boldsymbol{a}+y\boldsymbol{b}+z\boldsymbol{c}+w\boldsymbol{d}=\boldsymbol{0}$$

である。

このとき，係数のベクトル $\boldsymbol{a},\boldsymbol{b},\boldsymbol{c},\boldsymbol{d}$ を観察すると，$\boldsymbol{b}$ と $\boldsymbol{d}$ には $\boldsymbol{b}=\boldsymbol{d}$ という関係がある。したがって，上の方程式は，

$$x\boldsymbol{a}+y\boldsymbol{b}+z\boldsymbol{c}+w\boldsymbol{d}=x\boldsymbol{a}+(y+w)\boldsymbol{b}+z\boldsymbol{c}$$

となって，$\boldsymbol{a},\boldsymbol{b},\boldsymbol{c}$ を係数とする方程式を解くことになる。

次に，ベクトル $\boldsymbol{a},\boldsymbol{b},\boldsymbol{c}$ を考えたとき，その間のどの二つにもお互いに何倍，という関係はないが，$\boldsymbol{c}$ が $\boldsymbol{a},\boldsymbol{b}$ とで $\boldsymbol{c}=\boldsymbol{a}-4\boldsymbol{b}$ となっていることがわかる。このことから，

$$\begin{aligned}
x\boldsymbol{a}+y\boldsymbol{b}+z\boldsymbol{c}+w\boldsymbol{d} &= x\boldsymbol{a}+(y+w)\boldsymbol{b}+z\boldsymbol{c}\\
&= x\boldsymbol{a}+(y+w)\boldsymbol{b}+z(\boldsymbol{a}-4\boldsymbol{b})\\
&= (x+z)\boldsymbol{a}+(y-4z+w)\boldsymbol{b}
\end{aligned}$$

となる。

つまり，最初の方程式は，結局 $\boldsymbol{a}$ と $\boldsymbol{b}$ を係数とする方程式を解くことと同じになる。

このように，方程式が次第に短くなっていく。

$\boldsymbol{a}$ と $\boldsymbol{b}$ には，もはや一方が他方の何倍という関係はないので，これ以上短くできない。そうして，

$$X=x+z,\quad Y=y-4z+w$$

とすれば，次のような二つの未知数の方程式になってしまう。

$$X\boldsymbol{a}+Y\boldsymbol{b}=\boldsymbol{0}$$

これを解くと，$X=0, Y=0$ が得られ，z,w に適当な定数を与えれば

$$x=-z,\quad y=4z-w$$

として解が求まる。ただし，z,w は任意定数なので，解は無

数にある。このような解のことを不定解という。

　ところで，二つのベクトルで，一方が他方の何倍かという関係 $b=ka$ にあるとき，この二つのベクトル a, b を 1 次従属という。また，同時には 0 でない m, n に対して $a=mb+nc$ となっているとき，この三つのベクトル a, b, c も 1 次従属という。そうして，最後にそのような関係のないベクトルだけが残る。この残ったベクトルは 1 次独立といわれる。

　rank は a, b, c, d の中で 1 次独立なものの最大個数を示す数値である。今の場合は，a と b が 1 次独立なので，$\{a, b, c, d\}$ の rank は 2 であるとか，$\mathrm{rank}(a, b, c, d)=2$ と書く。

　逆に，何らかの方法で，最初から rank が 2 であることがわかっていれば，上にみたような二つの未知数に関する方程式を解けばよい。どの二つの未知数であるかというのは，1 次独立なベクトルに関する未知数，今の場合 x と y である。したがって，z と w を最初から不定定数として解けばよいことになる。

　実際には，この rank を求めるアルゴリズムと連立方程式を解くアルゴリズムは同じであるから，rank を求める計算をしながら方程式が解けることになる。それは行列に対して実行される。

　(1) は行列を用いると次のように書ける。

$$\begin{pmatrix} 3 & 2 & -5 & 2 \\ 2 & 5 & -18 & 5 \\ 4 & -1 & 8 & -1 \end{pmatrix} \begin{pmatrix} x \\ y \\ z \\ w \end{pmatrix} = \begin{pmatrix} 0 \\ 0 \\ 0 \end{pmatrix} \tag{2}$$

そこで，次のような行列の行基本変形といわれるものを行う。

$$\begin{pmatrix} 3 & 2 & -5 & 2 & 0 \\ 2 & 5 & -18 & 5 & 0 \\ 4 & -1 & 8 & -1 & 0 \end{pmatrix}$$

行基本変形とは，連立方程式を解く次のような手続きである。

(1) ある行を何倍かする（ある方程式全体を何倍かする）

(2) ある行を何倍かして，他の行に加える（ある方程式全体を何倍かして，他の方程式に加える）

(3) 二つの行を入れ替える（方程式の順序を入れかえる）

$$\begin{pmatrix} 3 & 2 & -5 & 2 & 0 \\ 2 & 5 & -18 & 5 & 0 \\ 4 & -1 & 8 & -1 & 0 \end{pmatrix}$$

を操作するのだが，最後の列は，0 なので，(1)～(3) の操作でも変化がない。したがって次の行列を考えればよい。これを係数行列という。

$$\begin{pmatrix} 3 & 2 & -5 & 2 \\ 2 & 5 & -18 & 5 \\ 4 & -1 & 8 & -1 \end{pmatrix}$$

2 行目を (-1) 倍して，1 行目に加える。

$$\begin{pmatrix} 1 & -3 & 13 & -3 \\ 2 & 5 & -18 & 5 \\ 4 & -1 & 8 & -1 \end{pmatrix}$$

1 行目を (-2) 倍して 2 行目に加え，1 行目を (-4) 倍して 3 行目に加える。

$$\begin{pmatrix} 1 & -3 & 13 & -3 \\ 0 & 11 & -44 & 11 \\ 0 & 11 & -44 & 11 \end{pmatrix}$$

2 行目，3 行目を 11 で割る。

$$\begin{pmatrix} 1 & -3 & 13 & -3 \\ 0 & 1 & -4 & 1 \\ 0 & 1 & -4 & 1 \end{pmatrix}$$

2 行目を -1 倍して，3 行目に加える。

$$\begin{pmatrix} 1 & -3 & 13 & -3 \\ 0 & 1 & -4 & 1 \\ 0 & 0 & 0 & 0 \end{pmatrix}$$

2 行目を 3 倍して 1 行目に加えれば，

$$\begin{pmatrix} 1 & 0 & 1 & 0 \\ 0 & 1 & -4 & 1 \\ 0 & 0 & 0 & 0 \end{pmatrix}$$

　この行の基本操作は，連立方程式を変形しただけであるから，この最後の行列に対応する二つの方程式を解けばよいことになる。

　つまり，次のようになる。

$x + z = 0$

$y - 4z + w = 0$

　ところで，最初の方程式を解くことと最後の方程式を解くのは同じなので，rank に変化は起きない。したがって，この最後の行列をみると，3 列目のベクトル＝（1 列目のベクトル）＋(-4)（2 列目のベクトル），4 列目のベクトル＝2 列目のベクトルとなっており，1 列目と 2 列目のベクトルが 1 次独立ということで，rank は 2 ということになる。

　実は，最後の行列の対角線上の 1 の個数が rank である。

$$\begin{pmatrix} 1 & 0 & 1 & 0 \\ 0 & 1 & -4 & 1 \\ 0 & 0 & 0 & 0 \end{pmatrix}$$

このように連立1次方程式の一般的な考察をしようとすると、どうしても行列の議論を必要とする。そのために、行列やランクの概念を考えたのがイギリスのシルヴェスターであり、今日ケーリー・ハミルトンの定理で知られるケーリーがその代数的理論を完成させた。19世紀のことである。

ベクトルの1次独立性や1次従属性の判定は、いわゆる線形代数といわれる数学での基礎的な部分である。ベクトルの1次独立性や1次従属性の議論は、連立1次方程式の議論であるから、線形代数は連立1次方程式の理論だともいえる。経済学における線形計画法はまさに連立1次方程式や連立1次不等式の話なので、線形代数なしでは済まされないのである。

文科系は数学がいらないというのは嘘である。

dim
4 次元探し

　dim は dimension の略であり，次元の意味である。数学には次数という用語と次元という用語が出てきて，よく混乱をするが，次数は degree の訳である。

　一般的には，dim は空間の広がりを示す指標であり，通常は 0 または正の整数値である。我々の住んでいる空間は 3 次元である。この空間を X ということにすれば，

$$\dim X = 3$$

と書かれる。

　このとき，3 は，縦，横，高さという 3 方向の広がりの具合を表している。

　つまり，空間 X のどの点もこの三つの独立な変数 x, y, z があれば表現でき，この三つで十分であるということである。したがって，紙の上のような世界を Y ということにすれば，Y のどの点も縦と横のみで表現できるから 2 次元ということになり，

$$\dim Y = 2$$

である。

　じゃあ 4 次元の世界は何かということになるが，これも同

じことである。ある空間 Z の点が四つの独立な変数 $x, y, z,$ w で表現でき，この四つで十分である場合に，

$$\dim Z = 4$$

ということである。

　現実にそんな世界があるのかというかもしれないが，四つの未知数（変数）x, y, z, w の連立 1 次方程式は 4 次元世界の出来事だと考えることができる。どれもが独立したものであれば本当に 4 次元のことであり，もし本質的な変数は x, y だったとすればそれは 4 次元空間の 2 次元の出来事なのである。

　例えば，家計簿には多くの項目がある。いま仮にその中の教育費，衣服費，医療費，食費の四つが家計の主要な部分を占めているとしてみよう。各家庭の家計はこの四つで捉えられることになり，各家庭の家計は 4 次元の空間の点として考えることができる。空間という言葉で，私たちが住む空間というふうに狭く限定してしまうと 4 次元の空間探しになってしまう。しかし，四つの独立な変数で表されている何かを考えたときに，すでに我々は 4 次元空間にスリップしているのである。

　一般に，n 個の実数の組 $(x_1, x_2, x_3, \cdots, x_n)$ で表される要素の集合を R^n と表す。そうすると，この R^n の点はどれもこの n 個の実数の組で表されるから n 次元ということになる。

　一方，次数（degree）という言葉は方程式などに使われる。未知数（または変数）を x としたときの方程式 $2x+3=0$ は 1 次の方程式といわれる。それは方程式の未知数（または変数）x の重複度を次数としているからである。したがっ

て，$x^2+x+1=0$ は x の重複度の一番大きいのは x^2 であり，次数 2 の方程式ということになる。

まだ，記号代数が発明される以前の時代には，次数と次元が一致したものと考えられていたため，きわめて不自由であった。

x は 1 次元の量（長さ），x^2 は 2 次元の量（面積），x^3 は 3 次元の量（立体の体積）であると考えられていたから，方程式 $x^2+x+1=0$ において面積と長さが足せるのかといった議論が行われ，方程式を扱うのに慎重な取り扱いを余儀なくされるという時代があったのである。

記号代数は，16 世紀，フランスのヴィエトに始まった。ヴィエトは未知数はもちろん，任意の数にも文字を導入した。実は，それまでの代数では，そのほとんどが言葉だけで表現されていて，言葉の代数（レトリック代数）と呼ばれていた。このヴィエトですら次数と次元の呪縛からは解放されてはいないのである。

その後デカルトがそのような考えをする必要のないことに気づいた。いまの中学生や高校生はそのような心配をせずに文字式をすらすら取り扱えるのだから，その時代に比べれば格段の数学の達人である。

もっとも，次元はその対象固有の何らかの尺度に過ぎないのであるから，整数値である必要はない。

広がりの場合は整数値であったが，フラクタル的な図形（どの部分をとっても全体と相似になっているような図形）のように，その複雑さを示すのに用いられる相似次元は一般に非整数値である。

それは，いま考えている図形が全体を $1/n$ に縮小した相似

な n^d 個の図形からできているときに d を相似次元という。

　例えば，下図はコッホ曲線といって，雪の結晶や積乱雲のような形を表現しているものであるが，これは全体を $1/3$ に縮めたものが 4 個あり，$3^d = 4$ なので，

$$d = \log_3 4 = 1.2618\cdots \quad \text{次元}$$

である。もっとも，このような非整数値の次元が意味を持つようになったのはつい最近である。

　誰です？　そこで次元の低い話をしている人は……。

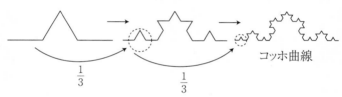

図 37　図形と次元

第 38 章
Im, Ker
すべては 0 が支配する

Im は image，つまり像を意味する記号であり，Ker は kernel，つまり核を意味する記号である。といっても，ぜんぜん説明になっていないから，簡単な例から考えてみよう。

$f(x)=\sin x$ は，実数値関数である。f が，R から R への対応（あるいは写像）であることを強調するために，$f : R \to R$ と表記する。左の R は定義域で右の R は値域と呼ばれる。

そこで，定義域の R が f によって写された（写像された）場合に，値域の R のどのような集合になるかを考えてみる。

f をカメラ，定義域は被写体，値域はフィルムだとすれば，写像とはこのカメラ f で，この被写体がフィルム上にどのような像を結ぶかということを考えようということにほかならない。これを f による像といって Im f で表す。$f(R)$ と表記することもある。つまり，

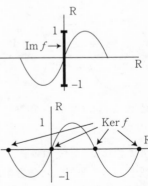

$$Im f = \{f(x)\,|\,x \in R\}$$
$$= \{\sin x\,|\,x \in R\}$$

図 38-1　Im f と Ker f のグラフ

165

である。今の場合は，f の像は明らかに $[-1, 1]$ 区間である。

$$\mathrm{Im}\, f = \{\sin x \mid x \in \mathrm{R}\} = [-1, 1]$$

今度は，フィルムの方から見て，フィルム上の 0（ゼロ）に写される被写体の部分はどこかを考える。これを f の核といい，$\mathrm{Ker}\, f$ で表す。つまり，

$$\mathrm{Ker}\, f = \{x \mid f(x) = \sin x = 0\}$$

である。

$\mathrm{Ker}\, f$ は $f^{-1}(\{0\})$ とも表され，$\{0\}$（集合として見ている）の原像または逆像という。

今の場合には，

$$\mathrm{Ker}\, f = f^{-1}(\{0\}) = \{\pm n\pi\} \quad (n = 0, 1, 2, 3, \cdots)$$

である。

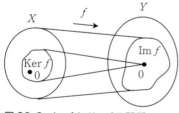

図 38-2　$\mathrm{Im}\, f$ と $\mathrm{Ker}\, f$ の関係

小学校や中学校では数とその間の関係だけで十分であったが，高校や大学では数よりもう少し高次の概念であるベクトルが重要になる。実際，物理学，工学，経済学では，ベクトルの概念なしには済まされない。それゆえ，大学の初学年でベクトルに関する数学である線形代数学を学ぶのである。その線形代数で Im，Ker が登場する。

　ベクトル空間はベクトルの集合である。そのベクトルには
ベクトル和とスカラー倍という演算が定義されていて，その
演算がある一定の条件を満たしている場合をベクトル空間と
いう（通常，演算で閉じているという表現をすることが多
い）。

　いま，二つのベクトル空間 V と W に対して，V から W
への対応（写像）を考えてみる。V も W も和とスカラー倍
という演算を持っているので，それはたんなる対応ではな
く，これらの演算を保存する対応を考えるのが自然である。
そのような対応を線形写像といい，下記の (1) (2) を f の線
形性という。

$f : V \to W$

(1) $f(x+y) = f(x) + f(y)$ （和を保存する）

(2) $f(kx) = kf(x)$ （スカラー倍を保存する。k は実数か複
　　素数）

　この定義からすると，$f(x) = \sin x$ は，線形性を持ってい
ない。

　$f(x) = ax$（a は定数）は線形であるが，$f(x) = ax +$
$b(b \neq 0)$ は線形ではない。

　このように，線形性は比例的現象を表す初等的な性質であ
る。つまり，原料を 2 倍にすればでき上がったものも 2 倍に
なるという性質であり，一番基本的で役に立つ写像である。

　次のような連立方程式を考える。

$$\begin{cases} x + 2y + z = 0 \\ 2x - y + 3z = 0 \\ 3x + y + 4z = 0 \end{cases}$$

これは

$$A = \begin{pmatrix} 1 & 2 & 1 \\ 2 & -1 & 3 \\ 3 & 1 & 4 \end{pmatrix}$$

という行列を考えて $f : \mathrm{R}^3 \to \mathrm{R}^3$ を

$$f(\boldsymbol{x}) = A\boldsymbol{x}, \quad \boldsymbol{x} = \begin{pmatrix} x \\ y \\ z \end{pmatrix}$$

とすると，f は線形写像になる。$f(\boldsymbol{x})=A\boldsymbol{x}$ は A が一行一列の行列ならば，A は単なる数なので，$f(x)=ax$ という形であり，それの行列バージョンだとみればよい。

　ところで，上の連立方程式を解くことは，$f(\boldsymbol{x})=\boldsymbol{0}$ となるベクトル $\boldsymbol{x}$ を求めることであるから，つまりは $\mathrm{Ker}\, f$ を求めることである。ようするに，$\mathrm{Ker}\, f$ はこの連立方程式の解の集合である。

　この $\mathrm{Ker}\, f$ はベクトル空間であるが，これがどれくらいの広さのベクトル空間になるかは，その次元を求めればよい。それには次元公式というものがある。

次元公式

　$f : V \to W$ なる線形写像 f に対して，$\mathrm{Im}\, f$ ならびに $\mathrm{Ker}\, f$ はそれぞれベクトル空間になり，次の次元公式と呼ばれる関係が成立する。

　　$\dim V = \dim(\mathrm{Ker}\, f) + \dim(\mathrm{Im}\, f)$　　（次元公式）

次元公式によれば,

$$\dim(\mathrm{Ker}\,f) = \dim \mathrm{R}^3 - \dim(\mathrm{Im}\,f)$$
$$= 3 - \dim(\mathrm{Im}\,f)$$

となる。

ところが, $\dim(\mathrm{Im}\,f)$ は行列 A の rank（階数）であることが知られているから,

$$\dim(\mathrm{Ker}\,f) = 3 - \mathrm{rank}\,A$$

となり, $\mathrm{Ker}\,f$ の次元が計算可能になる。

rank は, 行列 A の 1 次独立な列ベクトルの最大個数である（第 36 章）。この場合は $\mathrm{rank}\,A = 2$ となり, $\dim(\mathrm{Ker}\,f)$ $=1$ となる。

つまり, この連立方程式の解の空間は 1 次元で, 直線的であり, その解はある 1 個の定ベクトルの任意実数倍ですべて得られるというわけである。具体的に解を求めなくても, 解の作る構造を知ることができるというわけである。これが数学の偉大な部分である。

ところで, 具体的な $\mathrm{Ker}\,f$ は次のようになる。

$$\mathrm{Ker}\,f = \{t(-7, 1, 5)\,|\,t \text{ は任意の実数}\}$$

このように, $\mathrm{Ker}\,f, \mathrm{Im}\,f$ は連立方程式の議論と密接に結びついている。しかも, $\mathrm{Ker}\,f, \mathrm{Im}\,f$ の次元の計算は行列の計算に帰着されるから, まさに, 行列（matrix）さまさまということである。マトリックスは映画のタイトルとしても使われたが, 数学の重要なタームでもある。

第 39 章

$^tA, A^*, \mathrm{tr}A$

形のいいものが貴重なのです

これらは行列 A に関するある操作とその結果を表している。

$A^t, {}^tA$ はどちらも行列の転置（transpose）を表す。転置とは行列 A の行と列を入れ替える操作のことである。転置の英語の頭文字 t を使ってそれを表す。t を右上につけるか左上につけるかはあなたの好みである。ただ，どちらか一方につけたら，最後までそれでいかないと迷惑になる。左へ行ったり右へ行ったりする気まぐれは避けたい。

$$A = \begin{pmatrix} 3 & 1 & 2 & 1 \\ 1 & 0 & 0 & 1 \\ 4 & 1 & 3 & 2 \end{pmatrix}$$

ならば，

$$^tA = A^t = \begin{pmatrix} 3 & 1 & 4 \\ 1 & 0 & 1 \\ 2 & 0 & 3 \\ 1 & 1 & 2 \end{pmatrix}$$

である。

その結果だけを示すのであれば，いちいちこのような記号を使う必要はない。しかし，たんに結果ではなくて，$t : A \rightarrow {}^tA$ という操作（オペレーション）として考えるほう

が便利な場合が多い。

　さて，定義から，

$$^t(AB) = {}^tB\,{}^tA$$

となる。これは，行列の積に転置という操作を施すと B の転置と A の転置の積になることを示している。この記号を使うことで，転置の性質を簡潔に書き表すことができる。その他，

$$^t(A+B) = {}^tA + {}^tB, \quad {}^t({}^tA) = A$$

等がある。

　特に，$A = {}^tA$ となる行列 A は，対称行列と呼ばれる重要な行列の一つである。対称性は，自然界の現象や物質が見せる際立った性質であり，数学的にも取り扱いやすい。その意味で対称性は数学において，美しく，すばらしい性質なのである。

　例えば，2 次形式と呼ばれる次のような式は，対称行列を使って表示できる。

$$x^2 + y^2 + 4z^2 + 2xy + 4yz + 4zx$$
$$= (x \quad y \quad z)\begin{pmatrix} 1 & 1 & 2 \\ 1 & 1 & 2 \\ 2 & 2 & 4 \end{pmatrix}\begin{pmatrix} x \\ y \\ z \end{pmatrix} \tag{1}$$

　この行列のように対称行列は対角成分を軸として対称になっているのが特徴である。主対角線上にある 1, 1, 4 を対角成分という。

$$\begin{pmatrix} 1 & 1 & 2 \\ 1 & 1 & 2 \\ 2 & 2 & 4 \end{pmatrix} \text{主対角線}$$

これに対して,

$$'A = -A$$

となる行列を交代行列というが, これは対角成分がすべて0
になっている。実は, どんな行列 X も対称行列 A と交代行
列 B を用いて, ただ一通りに $X = A + B$ と分解できる。

ところで, 行列で重要な概念に固有値というのがある。固
有値は, 行と列の数の等しい正方行列でしか考えることはで
きないが, 行列の個性を示す重要な数値であると考えてよ
い。

実際に,

$$A = \begin{pmatrix} 1 & 1 & 2 \\ 1 & 1 & 2 \\ 2 & 2 & 4 \end{pmatrix}$$

の固有値は次のようになる。

固有値というのは, λ (ラムダ) を未知数として, λ に関す
る方程式,

$$\det(A - \lambda E) = 0 \quad (\det \text{は行列式の記号})$$

の解のことである。E は次のような単位行列である。

$$E = \begin{pmatrix} 1 & 0 & 0 \\ 0 & 1 & 0 \\ 0 & 0 & 1 \end{pmatrix}$$

$$A - \lambda E = \begin{pmatrix} 1 & 1 & 2 \\ 1 & 1 & 2 \\ 2 & 2 & 4 \end{pmatrix} - \lambda \begin{pmatrix} 1 & 0 & 0 \\ 0 & 1 & 0 \\ 0 & 0 & 1 \end{pmatrix}$$

$$= \begin{pmatrix} 1-\lambda & 1 & 2 \\ 1 & 1-\lambda & 2 \\ 2 & 2 & 4-\lambda \end{pmatrix} \quad \text{なので,}$$

$$\det(A - \lambda E) = \begin{vmatrix} 1-\lambda & 1 & 2 \\ 1 & 1-\lambda & 2 \\ 2 & 2 & 4-\lambda \end{vmatrix} = -\lambda^2(\lambda - 6) = 0$$

したがって，固有値は 0（重解），6 である。

これから先は線形代数の本を見ていただければよいが，ある方法で直交行列 P を作れば，${}^t\!PAP$ は対角線上に行列 A の固有値 $0, 0, 6$ が並び，次のような行列になる（直交行列とは，${}^t\!PP = P{}^t\!P = E$（単位行列）となる行列 P のことである）。

$${}^t\!PAP = \begin{pmatrix} 0 & 0 & 0 \\ 0 & 0 & 0 \\ 0 & 0 & 6 \end{pmatrix} \quad \text{（対角線の } 0, 0, 6 \text{ が固有値）}$$

こうして，対称行列はいつでも対角行列（主対角線以外は 0）に変身する。

一般の行列では，いつもこうなるわけではない。このことが，対称行列が重宝がられる理由でもある。細かいことは省くが最初の 2 次形式 (1) は，$(u, v, w) = (x, y, z)P$ によって新しい変数 (u, v, w) で書き換えると，$6w^2$ という簡単な式に変身する。これで (1) の正体が明らかにされたわけである。

$$(u \quad v \quad w)\begin{pmatrix} 0 & 0 & 0 \\ 0 & 0 & 0 \\ 0 & 0 & 6 \end{pmatrix}\begin{pmatrix} u \\ v \\ w \end{pmatrix} = 6w^2$$

　一方，物理や工学では複素数が幅を利かす。複素数を成分とする行列では，t の代わりに＊を用いて，次のような行列を考える。$A^* = {}^t\overline{A}$（$\overline{A}$ は A の各成分の共役複素数を成分とする行列）。したがって，行列 A の各行と各列が実数ならば，$A^* = {}^tA$ である。たとえば，

$$A = \begin{pmatrix} 1+i & i & 0 \\ 0 & -i & 2 \\ 3 & 2i & 4i \end{pmatrix} \text{の時,} \quad A^* = \begin{pmatrix} \overline{1+i} & \overline{0} & \overline{3} \\ \overline{i} & \overline{-i} & \overline{2i} \\ \overline{0} & \overline{2} & \overline{4i} \end{pmatrix}$$

$$= \begin{pmatrix} 1-i & 0 & 3 \\ -i & i & -2i \\ 0 & 2 & -4i \end{pmatrix}$$

　$A^* = A$ となる行列は，エルミート行列と呼ばれ，対称行列とほぼ同じ性質を持つ（エルミートは 19 世紀フランスの数学者であり，e が超越数であることを証明したことで有名である）。その固有値はすべて実数であり，適当なユニタリー行列で対角化できる。ユニタリー行列というのは，直交行列の複素数版であり，$P^*P = PP^* = E$ となる行列 P のこと。

　特に，$AA^* = A^*A$ となる行列は正規行列と呼ばれる。複素行列が適当なユニタリー行列で対角化できるための必要十分条件は，それが正規行列であることが知られている（テープリッツの定理）。

　ところで，$\mathrm{Tr}A$ とか $\mathrm{tr}A$ という記号は，A のトレース（trace）といい，行列 A の対角線成分の総和のことである。

たとえば,

$$A = \begin{pmatrix} 1 & 2 & -3 \\ 3 & -5 & 4 \\ 2 & 6 & 7 \end{pmatrix}$$

のときは,$\mathrm{Tr} A = 1 + (-5) + 7 = 3$ である。

トレースは次のような性質を持つ。

$$\mathrm{Tr}^t A = \mathrm{Tr} A, \quad \mathrm{Tr} k A = k \mathrm{Tr} A,$$
$$\mathrm{Tr}(A + B) = \mathrm{Tr} A + \mathrm{Tr} B, \quad \mathrm{Tr} A B = \mathrm{Tr} B A$$

また,P が直交行列ならば,$\mathrm{Tr}({}^t P A P) = \mathrm{Tr}(A)$ となる。したがって,対称行列のトレースは固有値の和になる。

このことは,トレースが行列で表現された現象の特徴を示す指標になりうることを示唆している。

たとえば,行列 A が正規行列かどうかの判定に,このトレースが用いられる。

次の判定法はシューアの定理と呼ばれている。

A が n 次の正規行列であるための必要十分条件は,

$$\mathrm{Tr} A^* A = |\lambda_1|^2 + |\lambda_2|^2 + |\lambda_3|^2 + \cdots + |\lambda_n|^2$$

となる。ただし,$\lambda_1, \lambda_2, \lambda_3, \cdots, \lambda_n$ は A の固有値である。シューアは,20 世紀初期のドイツの数学者である。

ハイレベルの数学
〜偏微分も記号で理解

$\Gamma(s)$

$d(P,Q)$ δ_x $\mathring{A}$ $\partial/\partial x$

div   × ∂A ∇ grad

$\partial(f,g)/\partial(x,y)$ rot

A   ∫

curl

第 40 章
d(*P, Q*)
距離は長さと限らない

$d(P, Q)$ は点 P と点 Q との距離 (distance) を示す記号であり, $d(P, Q)$ は点 P と点 Q とによって決まる実数値である。

$\mathbb{R}^2$ (平面のことをこう書く) においては, $P = (a, b)$ と $Q = (c, d)$ との距離は, 通常, $\sqrt{(a-c)^2 + (b-d)^2}$ である。したがって, 距離の記号を使えば, 次のようになる。

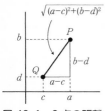

図 40-1 2 点の距離

$$d(P, Q) = \sqrt{(a-c)^2 + (b-d)^2}$$

一般に, 次の条件を満たす 2 変数の関数 $d(P, Q)$ を点 P と点 Q の距離という。

(1) 距離はマイナスの値にはならないという正値性

$d(P, Q) \geqq 0, d(P, Q) = 0$ ならば $P = Q$ であり, その逆も成立

(2) P から Q への距離と Q から P への距離は同じであるという対称性

$$d(P, Q) = d(Q, P)$$

(3) 二辺の和は他の一辺より大きいという三角不等式

$$d(P, R) \leqq d(P, Q) + d(Q, R)$$

　ある集合 X にこの性質を持つ $d(P, Q)$ が定義されたとき
に，その集合は距離空間と呼ばれる。

　(1)〜(3) さえ満たせば，数学的にはすべて距離なので，同
じ平面上にでもいくつも違った距離が入る。

　平面 R^2 上で初めに見た距離以外に，次のような距離 $d(P,$
$Q)$ がある。

$$d(P, Q) = |a-c|+|b-d|$$
$$d(P, Q) = \max\{|a-c|, |b-d|\}$$

　いずれも，平面 R^2 上の距離である。記号 $\max\{\ ,\ \}$ は
カッコの中の大きいほうをとるという意味である。

　二点 $P=(0,0)$, $Q=(1,2)$ の距離は，普通の距離と上記の
ものとでは次のようになる。

$$d(P, Q) = \sqrt{(0-1)^2+(0-2)^2} = \sqrt{5}$$
$$d(P, Q) = |0-1|+|0-2| = 3 \qquad \text{(a)}$$
$$d(P, Q) = \max\{|0-1|, |0-2|\} = 2 \qquad \text{(b)}$$

　三つ目がもっとも距離が短いことになる。

　もちろん，このような距離で考えると図形の形状も違って
くる。

　原点 $(0,0)$ を中心として半径 1 の円（原点からの距離が 1
の点の集まり）を描いてみれば，最初の距離は普通の円であ
るが，二番目のものはひし形になる。つまり，円といっても
距離が違えば丸いとは限らないのである。

　いずれにしても距離は近さの概念だから，点の収束や極限
を扱うにはどうしても必要になる。実際，$R, R^2, \cdots, R^n$ 上の
解析学（代数学や幾何学と並ぶ数学の分野の一つ）では，上

記の最初に述べた距離で収束や極限を扱っている。

例えば，数列 $\{x_n\}$ がある点 a に収束するというのは，n を大きくすれば x_n と a との普通の距離 $d(x_n, a) = |x_n - a|$ がいくらでも小さくなる，つまり，$\lim_{n \to \infty} d(x_n, a) = 0$ ということである。$d(x_n, a) = |x_n - a|$ は (1)〜(3) を満たす R での距離になる。これをもう少し数学的な文法で表現すれば，次のようになる。

任意の $\varepsilon > 0$ に対してある番号 N が定まって，$n \geqq N$ となるすべての x_n について $d(x_n, a) < \varepsilon$ となる。

R^2 のようによく知られた集合だけでなく，さまざまな集合に距離を定義して解析学や幾何学が展開される。例えば，区間 $[0, 1]$ 上で定義された連続（continuous）な実数値関数の全体という集合を考えてみる。これは数学の記号では，$C[0, 1]$ とか $\boldsymbol{C}_{[0,1]}$ とか書かれるものである。Continuous の C である。

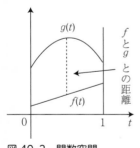

図40-2　関数空間

この $C[0, 1]$ の要素は関数なので，それを f, g とすれば，f と g との距離として，次のようなものを考えることができる。このような集合を関数空間という。

$$d(f, g) = \max_{0 \leqq t \leqq 1} |f(t) - g(t)|$$

この距離は，$f(t)$ と $g(t)$ のもっとも離れているところを測っているのであるから，距離が0なら，関数 f と g が一致するのは明らかである。

関数の間に距離を考えることで，関数同士の収束や極限が扱えるようになる。もちろん，どのような距離をいれたらい

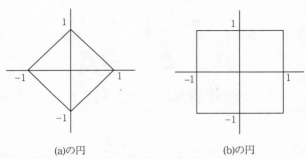

(a)の円　　　　　　　　　　　　(b)の円

図 40-3　距離の違いで，同じ円でも形は違う

いかは，そこから導き出される数学的内容の豊かさにかかっている。

　あなたと恋人との距離が遠くなったと感じたら，今までの距離でない別の距離を考えてみたらどうだろうか。きっと解決策が見つかるぞ。

$\overline{A},\ \mathring{A},\ \partial A$
現代数学への入り口

　これらは位相（topology）と呼ばれる概念の中に出てくる記号であるが，微積分の最初に実数の話の中で出てくることもある。

　位相空間 X の部分集合 A に対して，$\overline{A}$ は A の閉包（closure），$\mathring{A}$ は A の内核（interior），∂A は A の境界（boundary）といわれるものである。

　直感的にいえば，∂A は A の境界なので，文字通り，A の縁のことである。$\overline{A}$ は A の閉包ということで，文字通り A を包み込み，A に縁をつける作業をして，その縁も一緒に考えることである。$\mathring{A}$ は A の内核で，閉包とは逆に，A の縁を取り除いて考えることである。

　位相とは雑にいえば近さの概念である。近さを表す具体的なものに距離があるが，距離よりはもう少し一般的な概念である。位相にしても距離にしても近さの概念なので，収束や極限を扱うための基礎的な構造だと考えればよい。ここでは難しくなるので，位相のことには触れないでおく。

　例えば，平面 R^2 に普通の距離 d（第40章参照）が定義されているとする。

　言葉の定義だが，R^2 の空でない部分集合 U において，その中のどんな点 a に対しても，ある正の数 δ_a があって，a を

中心とする縁のない半径 δ_a の円板を
U が含むとき，U を開集合という。
これは，U が縁のない集合であること
を数学的に表現している。まさに，開
放的な夏向きの集合である。一方で，
開集合 U の補集合 U^c を閉集合とい
う。したがって，これは縁取りがある
集合ということになり，部屋に閉じこ
もる冬向きの集合というわけである。

ε - 近傍

Aの点でいくらでも
接近できる

図 41-1　集積点

　さて，R^2 の点 y に対して y を中心
とする半径 ε の縁のない円板を $V_{y,\varepsilon}$
とすれば，これは y を含む開集合であ
る。このような $V_{y,\varepsilon}$ を y の ε 近傍と
もいう。$V_{y,\varepsilon}$ の中の住人は y さんの
ご近所というわけである。

　A を R^2 の部分集合とし，集積点と
いうものを定義する。点 b が A の集
積点というのは，b を含む任意の開集合 U に対して，$(A-\{b\}) \cap U \neq \phi$（$\phi$ は空集合の記号である）が成り立つことである。U として近傍 $V_{b,\varepsilon}$ を考えて，ε を限りなく小さくしても $(A-\{b\}) \cap V_{b,\varepsilon} \neq \phi$ とできるということは，点 b は A にしっかりへばりついているという状態を示している。つまり，点 b は A の点でいくらでも接近できることを意味している。

$$A = \{(x,y) \in R^2 \mid x^2+y^2<1\} = \ \text{半径 1 の開円板}$$

であれば，ちょうど半径が 1 のところの点では，この状態が
起きている。この場合は，A の内部の点もそのような性質を

持っているので，A の集積点をすべて集めれば，この円板の縁まで含めた集合になる。A と A の集積点の集合を $\overline{A}$ と書いて，A の閉包（closure）という。

$$\overline{A} = A \cup \{A \text{ の集積点}\}$$

実はこの集合は閉集合になる。$\overline{A}$ は A を含む閉集合の作り方を示しており，A を含むもっとも小さな閉集合である。

一方，$\mathring{A}$ は A の内点と呼ばれる点の集合である。これは，$\overline{A}$ と違って A に含まれる最大の開集合である。x が A の内点とは，x を含み A に含まれるような開集合がとれることである。

$$A = \{(x,y) \in \mathrm{R}^2 \,|\, x^2 + y^2 \leqq 1\} = \text{半径 1 の閉円板}$$

に対しては，$\mathring{A}$ は縁を含まない開円板である。

また，∂A は A の境界と呼ばれるもので，次のように考える。

点 x が A の境界点というのは，x を含む任意の開集合 U に対して，

$$U \cap A \neq \phi \text{ かつ } U \cap A^c \neq \phi$$

$\overline{A}$ 　　　　A の内点：$\mathring{A}$ 　　　　A の境界：∂A

図 41-2　内点，境界点の集合

が成立することである。その点を中心とするどんな ε 近傍も
自分の庭と隣の庭にまたがっているということである。まさ
に境界の相応しい定義である。A が半径 1 の開円板であろ
うと閉円板であろうと，∂A は半径 1 の円である。

　これらの概念がどのような役割を演じるかを述べるには準
備が足りないが，例えば，点列 $\{x_n\}$ が点 a に収束するという
ことを開集合の概念でいい直すことができる。

　　　a を含む任意の開集合 U に対して，ある番号 N が存在
　　　して，$n \geqq N$ となるすべての x_n は U に含まれる

　距離にしてもそれよりも一般的な概念である位相にして
も，開集合と閉集合に関係しており，さらにそれは収束と極
限に関係している。そして $\overline{A}$ にしても，$\mathring{A}$ にしても閉集合
や開集合を作る操作であった。具体的に距離が考えられなく
ても，位相を考えることで近さや極限を考えることが可能に
なり，数学の適応性が広まったといえる。このような抽象的
な概念を考えたのは 20 世紀フランスの数学者のフレッシェ
である。その後，ドイツのハウスドルフやポーランドのクラ
トフスキー，ソ連のアレクサンドロフなどによって位相空間
の概念が発展・確立した。実際，位相の概念は，社会学から
生物学までいろいろな分野で使われている。その意味で，位
相の概念はいまや現代数学の基礎である。ぜひ，位相に挑戦
を。

δ_x
信じられない関数

δ_x はディラックのデルタと呼ばれる関数であって，$x=0$ の時のみ値をとり，それ以外で 0 であるが，$-\infty$ から ∞ まで積分すれば 1 となる関数である。

δ_x の代わりに $\delta(x)$ と書くことにすれば，次のようにも書くことができる。

$$\delta(x) = 0 \quad (x \neq 0), \quad \int_{-\infty}^{\infty} \delta(x)\mathrm{d}x = 1$$

実際にはこのような関数は存在しないが，イギリスの理論物理学者ディラックが 20 世紀の中頃に量子力学を創始したとき，その中で便宜的に考えた関数である。

実をいうと，関数の概念は 17 世紀までなかった。

関数（function）という用語は，1693 年にライプニッツが役割という意味に用いている。今日の関数 $f(x)$ は 18 世紀にオイラーの，

$$f : x$$

をダランベールが，

$$f_x$$

としたことに始まるが，当時，関数というものが「解析的な

式なのか自由に書かれた曲線なのか」ということを巡っての論争があり，18世紀を通して絶えることはなかった。

「関数」についての一般的定義を与えたのは，19世紀ドイツの数学者のディリクレである。ディリクレは，

「y が変数 x の関数であるとは，x の各値に対して完全に決定される値 y が対応していて，この対応が解析的式，グラフ，表，あるいは簡単な言葉など何らかの形で確立されていることである」

という対応の考えを示した。

　ところで次のような関数をディリクレ関数というが，

$f(x) = 1$（x が有理数）

$f(x) = 0$（x が無理数）

これは，解析的式，グラフ，表いずれでも表現がしにくい関数の例であるが，対応という言葉では示すことが容易である。

　同様に，このような関数の概念からはみ出すものとして，上に述べたディラックの関数がある。これは今日では超関数と呼ばれるもので，第二次世界大戦後初のフィールズ賞にかがやいたフランスの数学者シュワルツが一般化された関数概念として導入した。

　超関数の概念は，大雑把にいえば，関数というものをもう少し広く考えて，ある作用だとするのである。つまり，δ を別の関数に掛けて積分をしたときにその関数の $x=0$ のところだけを取り出す働きをするものだと考える。

　あらゆる世界の出来事の今の瞬間を呼び出せるというわけであるから，これぞまさにドラえもんの世界である。

いま，実数値関数 $f(x)$ に対して，$x=0$ での値 $f(0)$ を対応させる対応 T を，ディラックの測度とかディラックの超関数とか呼んでいる。実際に，ディラックは積分を用いて次のように表した。

$$T(f) = \int_{-\infty}^{\infty} \delta(x)f(x)\mathrm{d}x = f(0)$$

このようなことを成り立たせている関数 $\delta(x)$ をディラックのデルタ関数と呼ぶのだが，もちろんこのような性質を持つ関数はない。

そこで，このような関数モドキの構成が問題となるが，それは次のようになされる。まず，関数 $h_\varepsilon(x)$ を

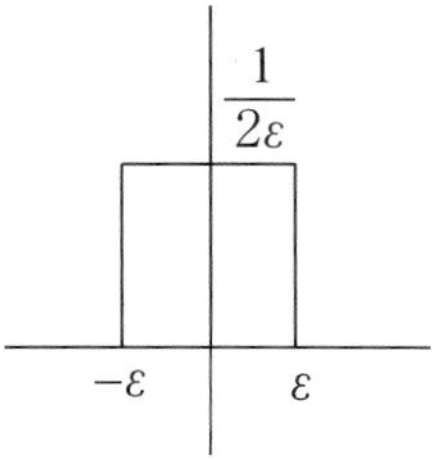

$$h_\varepsilon(x) = \frac{1}{2\varepsilon} \quad (|x| \leqq \varepsilon)$$
$$h_\varepsilon(x) = 0 \quad (|x| > \varepsilon)$$

のように定義する。このとき

$$\int_{-\infty}^{\infty} h_\varepsilon(x)\mathrm{d}x = 1 \tag{1}$$

となる。いま，先ほどの実数値関数 $f(x)$ を考えると次の式が成立する。

図 42 ディラックのデルタ関数

$$\lim_{\varepsilon \to 0} \int_{-\infty}^{\infty} f(x)h_\varepsilon(x)\mathrm{d}x$$

$$= \lim_{\varepsilon \to 0} \int_{-\varepsilon}^{\varepsilon} \frac{1}{2\varepsilon}f(x)\mathrm{d}x \quad \text{(積分に関する平均値の定理)}$$

$$= \lim_{\varepsilon \to 0} \frac{1}{2\varepsilon}2\varepsilon f(x_0) \quad (-\varepsilon < x_0 < \varepsilon) \tag{2}$$

$$= \lim_{\varepsilon \to 0} f(x_0) = f(0) \quad (\varepsilon \text{ が小さくなれば，} x_0 \text{ は 0 に近づく})$$

積分に関する平均値の定理

$$\int_a^b f(x)\,\mathrm{d}x = f(c)(b-a) \quad (a<c<b)$$

となる実数 c が存在する。

そこで,

$$\delta(x) = \lim_{\varepsilon \to 0} h_\varepsilon(x) \tag{3}$$

とすれば,(1)と $h_\varepsilon(x)$ の定義より $\delta(x)$ は冒頭のような性質を持つ。

(2)と(3)から次のことが示される。

$$\int_{-\infty}^{\infty} f(x)\delta(x)\,\mathrm{d}x = f(0)$$

こうして,ディラックの δ が構成されたことになる。やれやれ。

Column　　　　　　　　　　　　　　フィールズ賞とは

　1932 年の国際数学者会議で,カナダの数学者,故フィールズ(Fields)教授を記念して設定された賞である。4 年ごとに原則として 40 歳以下の数学者に与えられるもので,数学のノーベル賞といわれる。不思議にもノーベル数学賞はない。ちまたの説によれば,ノーベルは数学が嫌いだったので,数学の分野は受賞対象から外されたとのこと。

　日本人では,3 人しか受賞していない。故小平邦彦氏(こだいらくにひこ)(1954 年),廣中平祐氏(ひろなかへいすけ)(1970 年),森重文氏(もりしげふみ)(1990 年)。

第 **43** 章

●

仕事量がわかる（？）便利な内積

・という記号は，内積を表すのに用いられる。・はそれ以外にも掛け算や写像の結合などの記号としても用いられる便利な記号である。

もともと内積は，力によってなされる仕事を表現したものである。つまり，ある質点に一定の力 $\boldsymbol{a}$ が作用して，$\boldsymbol{b}$ の変位を生じたとすれば，その変位の間に $\boldsymbol{a}$ のなした仕事 W は，$\boldsymbol{a}$ の $\boldsymbol{b}$ 方向の成分 $\boldsymbol{b}$ の大きさ $\|\boldsymbol{b}\|$ との積になる（$\|\ \|$ はベクトルの大きさを表す記号）。$\boldsymbol{a}$ の $\boldsymbol{b}$ 方向の成分は，$\boldsymbol{a}$ と $\boldsymbol{b}$ のなす角度を θ とすると，$\|\boldsymbol{a}\|\cos\theta$ なので，

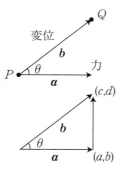

図 43-1　内積と力によってなされる仕事

$$W = (\|\boldsymbol{a}\|\cos\theta)\|\boldsymbol{b}\| = \|\boldsymbol{a}\|\,\|\boldsymbol{b}\|\cos\theta$$

となる。

$\boldsymbol{a}=(a,b),\boldsymbol{b}=(c,d)$ ならば，余弦定理より

$$\begin{aligned}
\|\boldsymbol{b}-\boldsymbol{a}\|^2 &= \|\boldsymbol{a}\|^2+\|\boldsymbol{b}\|^2-2\|\boldsymbol{a}\|\,\|\boldsymbol{b}\|\cos\theta \\
&= (c-a)^2+(d-b)^2 \\
&= a^2+b^2+c^2+d^2-2ac-2bd
\end{aligned}$$

190　　● 第Ⅲ部　ハイレベルの数学〜偏微分も記号で理解

ここで

$$\|\boldsymbol{a}\|^2 = a^2 + b^2$$
$$\|\boldsymbol{b}\|^2 = c^2 + d^2$$

であるから

$$2\|\boldsymbol{a}\|\,\|\boldsymbol{b}\|\cos\theta = \|\boldsymbol{a}\|^2 + \|\boldsymbol{b}\|^2 - \|\boldsymbol{b} - \boldsymbol{a}\|^2$$
$$= 2ac + 2bd$$

こうして,

$$W = \|\boldsymbol{a}\|\,\|\boldsymbol{b}\|\cos\theta = ac + bd$$

となる。

そこで, $\|a\|\,\|b\|\cos\theta$ または $ac + bd$ を $\boldsymbol{a}\cdot\boldsymbol{b}$ と表記し, ベクトル $\boldsymbol{a}$ と $\boldsymbol{b}$ の内積という。

$$\boldsymbol{a}\cdot\boldsymbol{b} = (a, b)\cdot(c, d) = ac + bd$$

もちろん, ・という記号は数の積（掛け算）と同じような性質が成り立つことからきているが, 数の積と同じような可換性はともかく結合法則は考えられない。

$$\boldsymbol{a}\cdot\boldsymbol{b} = \boldsymbol{b}\cdot\boldsymbol{a}$$

一方, 数には足し算があり, それと積とはある整合性を持つ分配法則がある。ベクトルの和と積に関する分配法則とは次のようになる。

$$\boldsymbol{a}\cdot(\boldsymbol{b} + \boldsymbol{c}) = \boldsymbol{a}\cdot\boldsymbol{b} + \boldsymbol{a}\cdot\boldsymbol{c}$$

また, やはり数と同じような次の性質がある。

$$\boldsymbol{a}\cdot\boldsymbol{a} \geqq 0, \quad \boldsymbol{a}\cdot\boldsymbol{a} = 0 \text{ ならば } \boldsymbol{a} = \boldsymbol{0} \text{ (ゼロベクトル)}$$

　数の場合には，積（掛け算）に対しての商（割り算）というものが考えられるが，この場合は，二つのベクトルに対してある数値（実数）を対応させたものを積と呼んでいるから商は考えられない。その意味では，数での積とは少し違う。

　空間のベクトル $\boldsymbol{a}=(a,b,c)$, $\boldsymbol{x}=(x,y,z)$ に対しても，

$$(a,b,c)\cdot(x,y,z) = ax+by+cz$$

とすると，

$$(a,b,0)\cdot(x,y,0) = ax+by+0 = \boldsymbol{a}\cdot\boldsymbol{x}+\boldsymbol{b}\cdot\boldsymbol{y}$$

なので，平面の内積の拡張になっている。

　もちろん，数学的にはもっといろいろな内積を考えることも可能である。そのためには，内積を公理的に定義しておく必要がある（章末コラム参照）。

　物理学的には，力の大きさ（長さ）や方向（角度）の概念が先にあって，そこから仕事という新しい量の表現として内積が導入されたが，逆に内積を用いて長さを始めとする幾何学的量を考えることができる。

　内積が先に定義されていることから出発すれば，ベクトル $\boldsymbol{x}$ の長さ $\|\boldsymbol{x}\|$ を

$$\|\boldsymbol{x}\| = \sqrt{\boldsymbol{x}\cdot\boldsymbol{x}} \quad (\boldsymbol{x}\cdot\boldsymbol{x} \text{ は内積})$$

で定義し，ベクトル $\boldsymbol{x}$ と $\boldsymbol{y}$ のなす角度 $\theta(0°\leqq\theta\leqq180°)$ を，

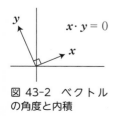

$\boldsymbol{x}\cdot\boldsymbol{y} = 0$

図 43-2　ベクトルの角度と内積

$$\cos\theta = \boldsymbol{x}\cdot\boldsymbol{y}/\|\boldsymbol{x}\|\,\|\boldsymbol{y}\|$$

として考える。

このことから，内積 $\boldsymbol{x}\cdot\boldsymbol{y}$ が 0 のときは $\boldsymbol{x}$ と $\boldsymbol{y}$ は直交している。

ベクトルの長さと内積には次の関係式が成り立つ。

$$\|\boldsymbol{x}+\boldsymbol{y}\|^2-\|\boldsymbol{x}-\boldsymbol{y}\|^2 = 4\boldsymbol{x}\cdot\boldsymbol{y}$$

この式は，長さ（$\|\ \ \|$）と内積（$\cdot$）をつなぐ非常に重要な関係式である。

もし，最初にベクトル $\boldsymbol{x}$ の長さ $\|\boldsymbol{x}\|$ が先に与えられていたとすれば，そこから内積を定義できることを示している。つまり，内積を先に考えても長さを先に考えても同じであることを意味している。数学を理解する一つのポイントは，いろいろな公式の中の重要なキーになる公式を探しあてることである。すべての公式を覚えようとするのは非常に効率が悪い。

上に述べたように，内積と長さのどちらを考えても同じことではあるが，平面や空間以外のベクトルに対して，ベクトルとベクトルのなす角度というのが必ずしも視覚的に捉えられるわけではないから，内積から先に考えるほうが便利だということになる。

このように，内積は長さや角度，したがって面積や体積などの幾何学的量を定義するもとになる量なので重要である。

例えば，ベクトル $\boldsymbol{x}$ と $\boldsymbol{y}$ で作られる平行四辺形の面積は長さと内積

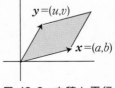

図 43-3　内積と平行四辺形の面積

を用いて次の式で与えられる。

$$S = \sqrt{\|\boldsymbol{x}\|^2 \|\boldsymbol{y}\|^2 - (\boldsymbol{x}\cdot\boldsymbol{y})^2}$$

ベクトル $\boldsymbol{x}, \boldsymbol{y}$ を $\boldsymbol{x}=(a, b), \boldsymbol{y}=(u, v)$ とすれば，

$$\|\boldsymbol{x}\|^2 = a^2+b^2, \quad \|\boldsymbol{y}\|^2 = u^2+v^2$$
$$\boldsymbol{x}\cdot\boldsymbol{y} = au+bv$$

なので，

$$S = |av+bu| \quad (|\ \ | は絶対値)$$
$$= \begin{vmatrix} a & b \\ u & v \end{vmatrix} の絶対値 \quad (ここでの |\ \ | は行列式の記号)$$

となり，面積は行列式で求めることもできる。

Column _____ 内積の公理

　ベクトル空間の任意の二つのベクトルに対して，次の性質を満たす実数の値をとる積が定義できるとき，この積を内積という。

(1) 正値性　$\boldsymbol{x}\cdot\boldsymbol{x} \geqq 0, \quad \boldsymbol{x}\cdot\boldsymbol{x}=0 \Leftrightarrow \boldsymbol{x}=\boldsymbol{0}$（ゼロベクトル）

(2) 対称性　$\boldsymbol{x}\cdot\boldsymbol{y} = \boldsymbol{y}\cdot\boldsymbol{x}$

(3) 線形性　$(\boldsymbol{x}+\boldsymbol{y})\cdot\boldsymbol{z} = \boldsymbol{x}\cdot\boldsymbol{z}+\boldsymbol{y}\cdot\boldsymbol{z}$
　　　　　　$\boldsymbol{x}\cdot(k\boldsymbol{y}) = k(\boldsymbol{x}\cdot\boldsymbol{y})$　（k は任意の実数）

第 44 章

#

空間で親しむ外積

　ベクトルに対して積と考えられる演算には，スカラー倍，内積，外積がある。

　スカラー倍はベクトル同士の演算ではなく，スカラー（実数や複素数）とベクトルとの演算であり，あるベクトル x を2倍するなどのような $2x$ といった積である。

　それに対して，内積は前章で述べたようにベクトルとベクトルの演算だが，その積の結果はある数値（スカラー）であり，幾何学的量を考える根源になる量である。

　そして，× の記号で表される外積は，その結果がベクトルになる。ただし，特別のことがない限り，外積は空間（3次元空間）特有の話だと考えておいてよい。

　物理学的には，モーメントという概念として導入された。

　いま，点 O で固定された棒 OP を考える。P は自由に動けるものとし，点 P にこの棒を回転させる力 a が図 44-1 のように働いているとする。このとき，その働きの大きさは点 O から a への距離 l に比例する。a の大きさとこの長さ l との積を，点 O の周りの力 a によるモーメントの大きさと呼ぶ。モーメントとは，ある点の周りに物体を回転させる能力のことで，回転のさせ方はいろいろあるが，この図のある平面で回転するとして，その回転軸の方向はこの平面に垂直で右ね

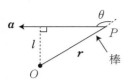

$l = \|\boldsymbol{r}\| \sin(180-\theta)$
$\quad = \|\boldsymbol{r}\| \sin\theta$
$l \cdot \|\boldsymbol{a}\|$：モーメントの大きさ

図44-1　モーメントの大きさ

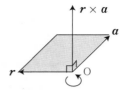

$\boldsymbol{r} \times \boldsymbol{a}$を考えるために，ベクトル$\boldsymbol{a}$を点Oに平行に移動して考えると図のようになる。

じの進む方向を向いているとする。

　さて，棒を回転する力が，右ねじが進む方向に働いているとすると，この図の場合は手前を向いていることになる。棒をベクトル$\boldsymbol{r}$で表すと，$l = \|\boldsymbol{r}\| \sin\theta$なので，モーメントの大きさは，

　　$\|\boldsymbol{r}\| \|\boldsymbol{a}\| \sin\theta$

である（$\|\ \ \|$はベクトルの長さを表す）。

　したがって，モーメントは，その大きさが$\|\boldsymbol{r}\| \|\boldsymbol{a}\| \sin\theta$であり，その方向はベクトル$\boldsymbol{r}$と$\boldsymbol{a}$で作られる平面に垂直で，右ねじの進む方向を正にするようなベクトルであるということになる。これをベクトル$\boldsymbol{r}$と$\boldsymbol{a}$の外積といって，$\boldsymbol{r} \times \boldsymbol{a}$で表記する。

　その大きさ$\|\boldsymbol{r}\| \|\boldsymbol{a}\| \sin\theta$は，ベクトル$\boldsymbol{r}$と$\boldsymbol{a}$で作られる平行四辺形の面積である。

　いま，$\boldsymbol{r}$と$\boldsymbol{a}$の具体的表示を求めてみよう。

　$\boldsymbol{r} = (p, q, r), \boldsymbol{a} = (a, b, c), \boldsymbol{r} \times \boldsymbol{a} = (x, y, z)$とする。

　二つのベクトル$\boldsymbol{r}$と$\boldsymbol{r} \times \boldsymbol{a}$が直交することから，その内積は0である。

$px + qy + rz = 0$

同様に，a と $r \times a$ が直交することから，

$ax + by + cz = 0$

この連立方程式は未知数3個なので，一つの未知数に値 t を与えて解く。

いま，$z = t$ として，クラメルの公式（第35章参照）で解こう（普通に解いても同じ）。

$px + qy = -rt$

$ax + by = -ct$

クラメルの公式より

$$x = \frac{\begin{vmatrix} -rt & q \\ -ct & b \end{vmatrix}}{\begin{vmatrix} p & q \\ a & b \end{vmatrix}} = \frac{-rtb + qct}{pb - qa} = \frac{t(qc - rb)}{pb - qa} = t\frac{\begin{vmatrix} q & r \\ b & c \end{vmatrix}}{\begin{vmatrix} p & q \\ a & b \end{vmatrix}}$$

$$y = \frac{\begin{vmatrix} p & -rt \\ a & -ct \end{vmatrix}}{\begin{vmatrix} p & q \\ a & b \end{vmatrix}} = \frac{-t(pc - ra)}{pb - qa} = t\frac{-\begin{vmatrix} p & r \\ a & c \end{vmatrix}}{\begin{vmatrix} p & q \\ a & b \end{vmatrix}}$$

つまり，x, y, z の比は

$$x : y : z = \begin{vmatrix} q & r \\ b & c \end{vmatrix} : -\begin{vmatrix} p & r \\ a & c \end{vmatrix} : \begin{vmatrix} p & q \\ a & b \end{vmatrix}$$

$$= (qc - rb) : (ra - pc) : (pb - qa)$$

そこで，

$x = k(qc - rb), \quad y = k(ra - pc), \quad z = k(pb - qa)$

とおいて，k を決めればよい。

ベクトル $r \times a$ の大きさは，$\|r\|\,\|a\|\sin\theta$ に等しいので，

$$\|r \times a\| = \|r\|\,\|a\|\sin\theta$$

細かい計算を省略すれば，次のようになる。

$$\|r \times a\|^2 = x^2 + y^2 + z^2$$

$$\|r\|^2\,\|a\|^2\sin^2\theta = (qc-rb)^2 + (ra-pc)^2 + (pb-qa)^2$$

ここから，$k^2=1$ となり，方向の条件から $k=1$ となる。

こうして，$r=(p,q,r)$，$a=(a,b,c)$ の外積 $r \times a$ は，

$$r \times a = \left(\begin{vmatrix} q & r \\ b & c \end{vmatrix},\ -\begin{vmatrix} p & r \\ a & c \end{vmatrix},\ \begin{vmatrix} p & q \\ a & b \end{vmatrix} \right)$$

$$= (qc-rb,\ ra-pc,\ pb-qa)$$

となる。一段目の表記は，外積を覚えるのに便利である。

$r \times a$ は，r を a に重ねる右ねじの進む方向を向いているので，r と a を交換すれば方向が変わる。つまり，

$$r \times a = -a \times r$$

r と a が同じであれば，回転は起きないので，

$$r \times r = \mathbf{0} = (0,0,0)$$

となる。

内積が，長さや角度や面積を示すのに用いられたように，外積もこのような幾何学的量を求めるのに欠かせない。

次のような x, y, z という三つのベクトルからなる立体の体積を考えてみよう。

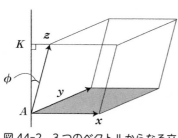

図44-2　3つのベクトルからなる立体の体積

この立体の体積は底面積 × 高さであるが，底

面積はベクトル $\boldsymbol{x}$ とベクトル $\boldsymbol{y}$ の外積の大きさに等しいので，$\|\boldsymbol{x} \times \boldsymbol{y}\|$ である。高さ AK を求めるには，ベクトル $\boldsymbol{z}$ と AK のなす角度を ϕ とすれば，$AK = \|\boldsymbol{z}\| \cos \phi$ である（$0° \leqq \phi \leqq 90°$）。

こうして，この立体の体積を V とすれば，次のようになる。

$$V = \|\boldsymbol{x} \times \boldsymbol{y}\| \|\boldsymbol{z}\| \cos \phi$$

ところが，ベクトル $\boldsymbol{x} \times \boldsymbol{y}$ は，$\boldsymbol{x}$ と $\boldsymbol{y}$ で作られる面に垂直なので，直線 AK にある。したがって角度 ϕ はベクトル $\boldsymbol{x} \times \boldsymbol{y}$ とベクトル $\boldsymbol{z}$ のなす角度であるから，V の右辺は，$\boldsymbol{x} \times \boldsymbol{y}$ と $\boldsymbol{z}$ の内積に等しい。つまり，次のようになる。

$$V = \|\boldsymbol{x} \times \boldsymbol{y}\| \|\boldsymbol{z}\| \cos \phi = (\boldsymbol{x} \times \boldsymbol{y}) \cdot \boldsymbol{z}$$

$\boldsymbol{x} = (a, b, c), \boldsymbol{y} = (p, q, r), \boldsymbol{z} = (s, t, u)$ とすれば，

$$\boldsymbol{x} \times \boldsymbol{y} = \left(\begin{vmatrix} b & c \\ q & r \end{vmatrix}, -\begin{vmatrix} a & c \\ p & r \end{vmatrix}, \begin{vmatrix} a & b \\ p & q \end{vmatrix} \right)$$

なので，

$$(\boldsymbol{x} \times \boldsymbol{y}) \cdot \boldsymbol{z} = \begin{vmatrix} b & c \\ q & r \end{vmatrix} s - \begin{vmatrix} a & c \\ p & r \end{vmatrix} t + \begin{vmatrix} a & b \\ p & q \end{vmatrix} u$$

行列式におけるラプラス展開を知っていれば（1行目に関する展開），

$$\begin{vmatrix} b & c \\ q & r \end{vmatrix} s - \begin{vmatrix} a & c \\ p & r \end{vmatrix} t + \begin{vmatrix} a & b \\ p & q \end{vmatrix} u = \begin{vmatrix} s & t & u \\ a & b & c \\ p & q & r \end{vmatrix}$$

となり，体積 V は3次の行列式としても求められる。

内積や外積は，物理的な量の表現や幾何学的な量のためにも重要なのだが，これらは行列や行列式の計算と深く結びついているわけである。

第 **45** 章

i, j, k
実数，虚数ときて，次は何数だ？

　小学校で習う自然数や分数や小数から，中学校では負の数，高校では複素数といった具合に数は絶えず拡張をされていく。

　それでは数はこれで終わりか，というとそうではない。数学は数学を使う分野と不可分にむすびついており，特に，物理や工学にはなくてはならないものであるが，このような分野で使われる数に 4 次元の数と呼ばれるものがある。複素数は平面上の点を表すので 2 次元の数である。

　i, j, k は，4 次元の数の三つの単位を示しているが，これに 1 という普通の数の単位を加えれば，四つの単位が揃う。それらで構成されるのが四元数である。

　これらは次の規則を満たしている。

$$i^2 = j^2 = k^2 = -1$$
$$ij = k, \ ji = -k, \ jk = i, \ kj = -i, \ ki = j, \ ik = -j$$

　最初の関係式だけを見ると複素数の虚数単位 i と同じ性質を満たしているが，二番目以降の関係式から j, k が $\sqrt{-1}$ というわけではないことがわかる。

　実数 a, b, c, d に対して，次のように表されたものを四元数という。

$$\alpha = a+bi+cj+dk \quad (a, b, c, d \text{ は任意の実数})$$

この形をしたものに対して，足し算，引き算は次のように定義する。

$$\beta = a'+b'i+c'j+d'k \quad (a', b', c', d' \text{ は任意の実数})$$

に対して，

$$\alpha \pm \beta = (a \pm a')+(b \pm b')i+(c \pm c')j+(d \pm d')k$$

掛け算，割り算も普通の数のように計算して，i, j, k の規則を用いる。掛け算した結果が，再び四元数になることは計算した結果から確認できる。

$$\overline{\alpha} = a-bi-cj-dk$$

とすれば，

図45　実数，複素数，四元数の関係

$$\alpha \cdot \overline{\alpha} = a^2+b^2+c^2+d^2$$

となる。$\overline{\alpha}$ を α の共役という。さらに，

$$|\alpha| = \sqrt{\alpha \cdot \overline{\alpha}} = \sqrt{a^2+b^2+c^2+d^2}$$

を α のノルム（norm），または長さという。

このように，足し算，引き算，掛け算，割り算の結果は四元数になるので，これを新しい数と考えることができる。

しかも，$b=c=d=0$ のときは，$a+0i+0j+0k$ なのでこれを a と考えれば実数を表していると見なすことができ，$c=d=0$ のときは，$a+bi+0j+0k$ なのでこれを $a+bi$ と考えれば複素数を表していると考えることができる。したがって，四元数は実数や複素数を特別な場合として含む数といえる。

ただ，$ij=k, ji=-k$ なので，明らかに掛け算は交換できないことになる（この性質を非可換という）。つまり一般に，二つの四元数 α, β に対して，$\alpha\beta \neq \beta\alpha$ である。これは，実数や複素数とは異なった性質である。

一方，

$$\begin{aligned} \alpha &= a+bi+cj+dk = (a+bi)+(cj+dk) \\ &= (a+bi)+(cj+dij) = (a+bi)+(c+di)j \end{aligned}$$

と書けるので，i を虚数単位だと考えれば，$(a+bi)$ や $(c+di)$ は複素数であるから，$v=a+bi, w=c+di$ とおけば，

$$\alpha = v+wj$$

と書けることになる。

したがって，四元数 α は任意の複素数 v と w を使って，

$$\alpha = v+wj, \quad j^2 = -1$$

という数であると考えてもよい。

実は，四則演算が自由にでき，しかも可換性も成り立つ数の体系で最大のものは複素数である（19 世紀にドイツのハンケルが証明した）。したがって，実数や複素数を含むものを作ろうとしても，結局この四元数のように必ず非可換になってしまう。

この四元数の発見者は 22 歳で天文学教授になったアイルランドのハミルトンである。四元数の発見は，数はすべて可換性に従うのが当然とされていた考えから，必ずしもその必要はないのだという新しい考え方への道を切り開いた。

ベクトルとスカラーの用語を初めて用いたのもハミルトンであり，今日のベクトル解析の基礎を作った。

第 46 章
∂/∂x
偏微分はこわくない

$\partial/\partial x, \partial/\partial y$ は偏微分の記号である。

1変数の実数関数 $f(x)$ に対して，関数 f の x に関する微分を df/dx と書く。$f(x)=x^2$ のときは，$df/dx=2x$ である。

x の小さな変化 Δx に対する関数 $f(x)$ の変化 $\Delta f = f(x+\Delta x)-f(x)$ の割合は $\Delta f/\Delta x$ である。微分 df/dx は Δx が 0 に限りなく近いときの変化の割合 $\Delta f/\Delta x$ のことである。したがって，非常に小さな変化 Δx に対しては，df/dx はその割合 $\Delta f/\Delta x$ に近いと考えてよい。実際，$f(x)=x^2$ に対して Δf を計算すると，

$$\begin{aligned}
\Delta f &= f(x+\Delta x)-f(x) \\
&= (x+\Delta x)^2-x^2 \\
&= x^2+2x\Delta x+\Delta x^2-x^2 \\
&= 2x\Delta x+\Delta x^2
\end{aligned}$$

となるが，小さな変化 Δx に対しては Δx^2 は無視できるくらい小さいので，結局 $\Delta f \fallingdotseq 2x\Delta x$ となる。このことから，$df/dx=2x$ を $df=2xdx$ と書いてもよいことになる。つまり，$df/dx=2x$ は分数のように，

$$\mathrm{d}f = 2x\mathrm{d}x = \frac{\mathrm{d}f}{\mathrm{d}x}\mathrm{d}x$$

と考えてもよいのである。

このときの記号 $\mathrm{d}f$ を全微分と呼ぶ（たんに微分といってもよい）。つまり，全微分は x の微小の変化 $\mathrm{d}x$ に対する f の変化 $\mathrm{d}f$ のことである。

さて，2変数の関数 $f(x, y) = x^2 + y^2$ の場合を考えてみよう。

この関数には x と y の二つの変数がある。x と y はお互いに関係がないので，$f(x, y) = x^2 + y^2$ を，y はある定まった値だと考えて，x で微分すれば $2x$ となる。同様に，x をある定まった値だと考えて，y で微分すれば $2y$ となる。このように，変数 x または y のどちらか一方のみを変数だと考えて微分したものを偏微分といい，$\dfrac{\partial f}{\partial x}$, $\dfrac{\partial f}{\partial y}$ や f_x, f_y と表記する。

つまり，

$$\lim_{\Delta x \to 0} \frac{f(x + \Delta x, y) - f(x, y)}{\Delta x} = \frac{\partial f}{\partial x}$$

を x 方向の微分，または x に関する偏微分といい，

$$\lim_{\Delta y \to 0} \frac{f(x, y + \Delta y) - f(x, y)}{\Delta y} = \frac{\partial f}{\partial y}$$

を y 方向の微分，または y に関する偏微分という。

$f(x, y) = xy$ のときは，$\partial f / \partial x = y$, $\partial f / \partial y = x$ である。

そこで，当然のことだが，x と y が共に変化したときの関数 f の変化の割合を考えることも必要になる。このようなときに，全微分 $\mathrm{d}f$ が再び登場するのである。

全微分 $\mathrm{d}f$ とは，x と y が共に変化するときの f の変化の様子であり，Δf を調べればよい。つまり，x の変化 Δx と y

の変化 Δy に対して，$\Delta f = f(x + \Delta x, y + \Delta y) - f(x, y)$ がどのようになるかを調べてみればよいのである。

$f(x, y) = xy$ のときは，

$$\begin{aligned} \Delta f &= f(x + \Delta x, y + \Delta y) - f(x, y) \\ &= (x + \Delta x)(y + \Delta y) - xy \\ &= y\Delta x + x\Delta y + \Delta x\Delta y \end{aligned}$$

変化 Δx と変化 Δy が非常に小さければ，$\Delta x\Delta y$ は無視できるほどに小さいから，

$$\begin{aligned} \Delta f &\fallingdotseq y\Delta x + x\Delta y \\ &= \frac{\partial f}{\partial x}\Delta x + \frac{\partial f}{\partial y}\Delta y \end{aligned} \quad \left(\frac{\partial f}{\partial x} = y, \frac{\partial f}{\partial y} = x \text{ なので}\right)$$

となる。このことは，

$$\mathrm{d}f = \frac{\partial f}{\partial x}\mathrm{d}x + \frac{\partial f}{\partial y}\mathrm{d}y$$

と書けることを示している。

$f(x, y) = x^2 + y^2$ のときも同じである。

Δf を計算してみると，

$$\Delta f = 2x\Delta x + 2y\Delta y + \Delta x^2 + \Delta y^2$$

となるから，x と y の変化が小さければ，

$$\begin{aligned} \Delta f &\fallingdotseq 2x\Delta x + 2y\Delta y \\ &= \frac{\partial f}{\partial x}\Delta x + \frac{\partial f}{\partial y}\Delta y \end{aligned} \quad \left(\frac{\partial f}{\partial x} = 2x, \frac{\partial f}{\partial y} = 2y \text{ なので}\right)$$

となる。

したがって，やはり $\mathrm{d}f = (\partial f/\partial x)\mathrm{d}x + (\partial f/\partial y)\mathrm{d}y$ となっている。

実は 2 変数の変数 x と y の微小な変化に対する f の変化 $\mathrm{d}f$ が次のようになっているときに，$\mathrm{d}f$ を f の全微分という のである。

$$\mathrm{d}f = \frac{\partial f}{\partial x}\mathrm{d}x + \frac{\partial f}{\partial y}\mathrm{d}y$$

これを 1 変数のような分数的な表現（$\frac{\mathrm{d}f}{\mathrm{d}x}$）にできないわ けではないが，変数 (x, y) は平面上にあるので，どうしても 方向のことを考える必要がある。

2 変数の関数 $f(x, y)$ の微分も x と y の変化に対する f の 変化の割合の極限であるから，x が $x + \Delta x$ に変化し，y が $y + \Delta y$ に変化したとき，f の変化 Δf は

$$\Delta f = f(x + \Delta x, y + \Delta y) - f(x, y)$$

である。いま，(x, y) から $(x + \Delta x, y + \Delta y)$ までの変化の量 （間隔）は，(x, y) から $(x + \Delta x, y + \Delta y)$ までの長さを見れば よいから，

$$\sqrt{(x + \Delta x - x)^2 + (y + \Delta y - y)^2} = \sqrt{(\Delta x)^2 + (\Delta y)^2}$$

である。

したがって，その割合は $\Delta f / \sqrt{(\Delta x)^2 + (\Delta y)^2}$ となる。 $\sqrt{(\Delta x)^2 + (\Delta y)^2}$ を Δs と書くことに すれば，

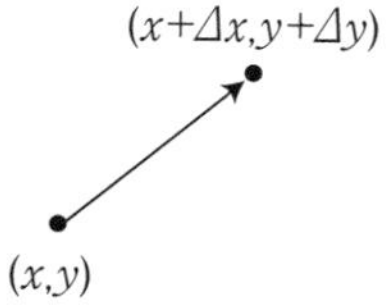

$$\frac{\Delta f}{\sqrt{(\Delta x)^2 + (\Delta y)^2}} = \frac{\Delta f}{\Delta s}$$

で，Δx と Δy が 0 に限りなく近づけ ば，Δs も 0 に限りなく近づくので， その極限 $\lim_{\Delta s \to 0} \Delta f / \Delta s$ が確定すれば，

$(x + \Delta x, y + \Delta y)$

(x, y)

図 46-1 Δx と Δy の変化の量

これを分数的に $\mathrm{d}f / \mathrm{d}s$ と表現してもよい。ただし，これには 次のような注釈がいる。

(x, y) から $(x+\Delta x, y+\Delta y)$ までをベクトルで書けば，$(\Delta x, \Delta y)$ である。したがって，いま述べたことは，このベクトル方向の微分（偏微分）とも呼ばれる。このベクトルの x 軸とのなす角を θ とすれば，θ 方向の微分といってもよい。つまり，2 変数の場合は方向によって微分が変化する。

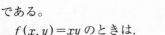

$\theta = 0$ のときは，

$$\frac{df}{ds} = \frac{\partial f}{\partial x}$$

$\theta = \pi/2$ のときは，

$$\frac{df}{ds} = \frac{\partial f}{\partial y}$$

図 46-2　ベクトル方向の微分
（偏微分）

である。

$f(x, y) = xy$ のときは，

$$\Delta x = \Delta s (\cos \theta), \quad \Delta y = \Delta s (\sin \theta)$$

なので，

$$\begin{aligned}
\Delta f &= f(x+\Delta x, y+\Delta y) - f(x, y) \\
&= y\Delta x + x\Delta y + \Delta x\Delta y \\
&= y\Delta s (\cos \theta) + x\Delta s (\sin \theta) + \Delta s^2 (\cos \theta)(\sin \theta)
\end{aligned}$$

である。したがって，

$$\frac{\Delta f}{\Delta s} = y(\cos \theta) + x(\sin \theta) + \Delta s (\cos \theta)(\sin \theta)$$

Δs を限りなく小さくすれば，その極限は次のようになる。

$$\frac{\mathrm{d}f}{\mathrm{d}s} = y(\cos\theta) + x(\sin\theta)$$

$$= \frac{\partial f}{\partial x}\cos\theta + \frac{\partial f}{\partial y}\sin\theta$$

これを，$f(x, y)$ の θ 方向の微分（偏微分）という。

ところで，全微分の表現，

$$\mathrm{d}f = \frac{\partial f}{\partial x}\mathrm{d}x + \frac{\partial f}{\partial y}\mathrm{d}y$$

が優れているのは，次のようなことがしばしば起きるからである。

例えば，ある平面上の点 P が，時間 t につれて動くものとする。そのときの座標を $(x(t), y(t))$ とする。この点 P に関係する現象が，関数 $f(x(t), y(t))$ で示されているとして，その現象の時間変化 t に関する速度を調べたいとすれば，f を t で微分することになる。

それは，あたかも全微分の表現の両辺に $1/\mathrm{d}t$ を掛けたかのような次の形になる。

$$\frac{\mathrm{d}f}{\mathrm{d}t} = \frac{\partial f}{\partial x}\frac{\mathrm{d}x}{\mathrm{d}t} + \frac{\partial f}{\partial y}\frac{\mathrm{d}y}{\mathrm{d}t}$$

これまでに述べた全微分や偏微分に関することは，変数が増えても，その意味を考えてみれば全く同様なことが成り立つ。

数学で大切なことは，公式を暗記することではなく，公式の意味を理解することである。そうすれば無用な暗記は必要ないし，公式を自由に使えるようにもなる。

第 **47** 章
$\partial(f, g)/\partial(x, y)$
多変数の積分のコツ

$\dfrac{\partial(f, g)}{\partial(x, y)}$ はヤコビアンと呼ばれる記号である。例えば，2 変数 (x, y) の実数値関数 $f(x, y) = x^2 + y^2, g(x, y) = xy$ を考える。それぞれの x ならびに y に関する偏微分，

$$\partial f/\partial x = 2x, \quad \partial f/\partial y = 2y$$

$$\partial g/\partial x = y, \quad \partial g/\partial y = x$$

からできる次のような行列をヤコビ行列という。

$$\begin{pmatrix} \partial f/\partial x & \partial f/\partial y \\ \partial g/\partial x & \partial g/\partial y \end{pmatrix} = \begin{pmatrix} 2x & 2y \\ y & x \end{pmatrix}$$

この行列は $J\begin{pmatrix} f & g \\ x & y \end{pmatrix}$ と表記される。

ヤコビ行列よりもその行列式が重要な意味を持つので，その行列式をヤコビアンといい，

$$\frac{\partial(f, g)}{\partial(x, y)}, \quad \frac{D(f, g)}{D(x, y)}, \quad J(f, g)$$

または，たんに J などで表記する。つまり，

$$\frac{\partial(f, g)}{\partial(x, y)} = \begin{vmatrix} \partial f/\partial x & \partial f/\partial y \\ \partial g/\partial x & \partial g/\partial y \end{vmatrix}$$

ヤコビアンは関数行列式とも呼ばれ，すでに 1815 年にフランスのコーシーが考えている。にもかかわらず 19 世紀のドイツの数学者であるヤコビの名があるのは，ヤコビがこの

ような関数行列式に関する一般的な応用を考えたからである。彼がこれらの行列式を考えたのは 1829 年のことであるが，その後の 1841 年に「関数行列について」という長編の論文で関数の間の関係をヤコビアンとの関連で研究している。

　なお，行列式の記号｜　｜はライプニッツによるとされるが，行列式（determinant）の名称はガウスが違う意味で使っていたものをコーシーが採用したという。

　ヤコビアンは大学で習う数学の基礎の部分では，積分のところで出てくる。

　1 変数の関数 $y=f(x)=\sqrt{x}$ を例にとって，この関数の積分 $\int \sqrt{x}\,\mathrm{d}x$ を考えてみる。この積分はわけなくできるだろうが，ここでは，置換積分という方法で考えよう。$t=\sqrt{x}$ と新しい変数 t に置換してみる（変数変換ともいう）。$x=t^2$ なので，$\mathrm{d}x/\mathrm{d}t$ を考えると $\mathrm{d}x/\mathrm{d}t=2t$ である。つまり，$\mathrm{d}x=2t\,\mathrm{d}t$ である。よって，

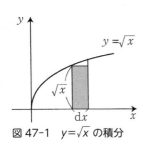

図 47-1　$y=\sqrt{x}$ の積分

$$\int \sqrt{x}\,\mathrm{d}x = \int t(2t)\,\mathrm{d}t$$
$$= \int 2t^2\,\mathrm{d}t$$
$$= 2/3\,t^3+C$$
$$= 2/3(\sqrt{x})^3+C$$

である（C は任意定数）。

　ここで，$\mathrm{d}x=2t\,\mathrm{d}t$ は何を意味しているかが問題となる。

　積分は，上図のような，$\sqrt{x}$ と微小単位 $\mathrm{d}x$ との積（微小面積）を寄せ集めたものである。変数変換をすると $\sqrt{x}$ は t になるが，$\mathrm{d}x$ のほうを求めるために，$\mathrm{d}x$ を $\mathrm{d}t$ に換算することが必要になる。その換算式が $\mathrm{d}x=2t\,\mathrm{d}t$ である。つまり，微

小単位長さ $\mathrm{d}x$ が微小単位長さ $\mathrm{d}t$ の $2t$ 倍になっている。

　このように，変数を変換するときは，積分をしている微小単位同士の換算が必要になり，それがちょうど微分 $\mathrm{d}x/\mathrm{d}t$（$=2t$）になるというわけである。

　さて，2 変数の関数 $f(x, y)$ を積分するときは，ある積分領域を D として，

$$\iint_D f(x, y)\,\mathrm{d}x\mathrm{d}y$$

の形に表される。いま，(x, y) を (u, v) に変数変換をしたとする。その変換式が ϕ, ψ であったとしよう。

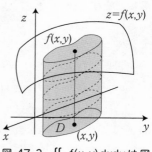

図 47-2　$\iint_D f(x, y)\,\mathrm{d}x\mathrm{d}y$ は図の体積

$$x = \phi(u, v), y = \psi(u, v)$$

　このときは，微小単位は長さではなく，面積であり，積分は $f(x, y)$ と微小面積 $\mathrm{d}x\mathrm{d}y$ との積を寄せ集めるのだから，$\mathrm{d}u\mathrm{d}v$ との間の換算が必要になる。その換算式は，次のようなヤコビアンの絶対値になる。

$$\partial(x, y)/\partial(u, v) = \begin{vmatrix} \partial\phi/\partial u & \partial\phi/\partial v \\ \partial\psi/\partial u & \partial\psi/\partial v \end{vmatrix}$$

いま，次のような積分を考えてみる。xy 平面上の

$$(x+2y)^2 + (3x+y)^2 \leq 9$$

で表される領域を D とするときに，D 上での積分，

$$\iint_D \mathrm{d}x\mathrm{d}y$$

を求めることを考える。$f(x, y)=1$ であり，この積分は D の面積を求めることを意味している。つまり，横 dx 縦 dy の長方形の面積 $dxdy$ を D 上ですべて加えることになる。

　ところが，このままでは計算しにくいので，次のように変数変換をする。

$$u = x+2y, \quad v = 3x+y$$

そうすると x, y は新しい変数を用いて次のように書ける。

$$x = -1/5(u-2v) = \phi(u, v)$$
$$y = 1/5(3u-v) = \phi(u, v)$$

　ここで問題になるのは，古い面積要素である $dxdy$ と新しい面積要素である $dudv$ の換算である。$x=-1/5(u-2v)$，$y=1/5(3u-v)$ の場合は，これらの式の x, y, u, v を微小単位 dx, dy, du, dv で置き換えて考えればよい。したがって，

$$dx = -1/5(du-2dv), \quad dy = 1/5(3du-dv)$$
$$= -1/5du+2/5dv \qquad = 3/5du-1/5dv$$

となる。そこで，uv 平面における面積要素 du, dv を単位ベクトル $(1, 0)$，$(0, 1)$ と見なせば，$dx=-1/5(du-2dv)$，$dy=1/5(3du-dv)$ より，dx, dy はそれぞれ $(-1/5, 2/5)$，$(3/5, -1/5)$ なるベクトルと考えることができる。

　このとき，du, dv からできる面積 1 を，dx, dy でできる面積に換算すると，そのベクトルで作られる平行四辺形の面積になるから次の行列式の絶対値である。

図 47-3　ベクトルで作られる平行四辺形

$$\begin{vmatrix} -1/5 & 2/5 \\ 3/5 & -1/5 \end{vmatrix}$$

これの絶対値は 1/5 であ

る。こうして，

$$\iint_D \mathrm{d}x\mathrm{d}y = \iint_{D'} \left(\begin{vmatrix} -1/5 & 2/5 \\ 3/5 & -1/5 \end{vmatrix} \text{の絶対値} \right) \mathrm{d}u\mathrm{d}v$$

$$= \iint_{D'} 1/5 \mathrm{d}u\mathrm{d}v = 1/5 \iint_{D'} \mathrm{d}u\mathrm{d}v$$

D' は，$u^2+v^2 \leqq 9$ なので，半径が 3 の円でありその面積は 9π であるので $\iint_{D'} \mathrm{d}u\mathrm{d}v = 9\pi$ となる。よって，$\iint_D \mathrm{d}x\mathrm{d}y$ $=1/5 \times 9\pi = 9\pi/5$ となって，この積分が求められた。

この面積の換算で出てきた式は，次のようにヤコビアンになっていることがわかる。

$$\partial\phi/\partial u = -1/5, \quad \partial\phi/\partial v = 2/5,$$
$$\partial\psi/\partial u = 3/5, \quad \partial\psi/\partial v = -1/5$$

$$\begin{vmatrix} \partial\phi/\partial u & \partial\phi/\partial v \\ \partial\psi/\partial u & \partial\psi/\partial v \end{vmatrix} = \begin{vmatrix} -1/5 & 2/5 \\ 3/5 & -1/5 \end{vmatrix}$$

ヤコビアンは，このように積分をするときの変数変換に対応した面積や体積のスケールの調整として出てくる。

一般に，$x=\phi(u,v), y=\psi(u,v)$ と変数変換をするとき，この変数変換が xy 平面の領域 D と uv 平面の領域 D' の間の 1 対 1 対応であるならば，次の式が成り立つ。

$$\iint_D f(x,y)\mathrm{d}x\mathrm{d}y = \iint_{D'} f(\phi(u,v), \psi(u,v))|J|\mathrm{d}u\mathrm{d}v$$

ただし，$|J|$ はヤコビアンの絶対値であり，この $|J|$ がスケールの調整である。特に極座標 $x=r\cos\theta, y=r\sin\theta$ のときは，$|J|=r$ である。

その他にも，ヤコビアンは関数同士の間の関数関係を調べたり，陰関数定理等の条件としても利用される。

第 **48** 章

$$\int_C$$

線積分ってどんな積分？

　積分の定義はどの場合も基本的に同じであるが，その種類はいろいろあり，その意味を考えないと積分は計算できない。もちろん，その違いは積分記号の下に書かれている範囲やその変数などに現れるので，その違いを考えて積分を計算する方策を練ることが必要である。

　ここでの記号は線積分と呼ばれるものである。その前に，高校で出てくる普通の積分を復習しておこう。

　$y=f(x)=x^2$ を変数 x に関して $0 \leqq x \leqq 1$ で積分するということを

$$\int_0^1 f(x)\mathrm{d}x$$

と表記する。

　$[0,1]$ の区間を $x_0=0, x_1, x_2, \cdots, x_n=1$ と適当に n 分割し（等分でもよい），この区間 $\Delta x_i=[x_{i-1}, x_i]$ と $f(x_i)$ との積（＝長方形の面積）を作り，その n 個の和 $S_n=\sum_{i=1}^{n} f(x_i)\Delta x_i$ を考えて，この区間 Δx_i を小さくしていったとき，すなわち，この分割の個数 n を限りなく大きくしたときの数列 $\{S_n\}$ の極限値が積分である。そして，その極限値を $\int f(x)\mathrm{d}x$ と表記する。つまり，

$$\int_0^1 f(x)\mathrm{d}x = \lim_{n \to \infty} S_n$$

である。これは，$0 \leqq x \leqq 1$ の範囲
での曲線 $y = x^2$ と x 軸との間の
面積を求めていることになる。

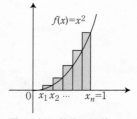

図 48-1　積分と面積

　もちろん，積分をこの定義から
直接計算することは決して賢明な
方法ではない。定義はあくまで定
義であり，実際の計算には別の方
策が必要であることは日常茶飯事
である。山登りの講習を聞くのと，実際に山に登るのとが違
うのと同じである。

　ある関数 $f(x)$ を a から x まで積分すると，別の関数
$F(x)$ があって，

$$\int_a^x f(x)\mathrm{d}x = F(x) - F(a)$$

となる。これをニュートン・ライプニッツの公式という。

　今日的に簡潔にいうと，ニュートンは次のような図形的な
考察から「関数 F を微分すれば関数 f になる」という積分と
微分が互いに逆の関係にあることを見抜いたという。

　x がほんの少し増加した増加分を Δx と書くことにする
（増分に Δ を用いたのはオイラーのようである）。いま，図
48-2 のように $x = 0$ から x までの面積を $F(x)$ と書けば，Δx
増加した $x + \Delta x$ までの面積は $F(x + \Delta x)$ であるから，その
増加分は $F(x + \Delta x) - F(x)$ である。Δx が非常に微小であ
るとすれば，増加分 $F(x + \Delta x) - F(x)$ は図からみてほぼ
$f(x)\Delta x$ に等しい。つまり，以下のようになる。

$$F(x + \Delta x) - F(x) \fallingdotseq f(x)\Delta x$$

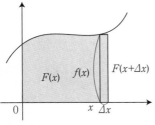

したがって，

$$\frac{F(x+\varDelta x)-F(x)}{\varDelta x} \fallingdotseq f(x)$$

であるから，$\varDelta x \to 0$ とすれば，左辺は $\mathrm{d}F/\mathrm{d}x$ となる。こうして，

$$\frac{\mathrm{d}F}{\mathrm{d}x} = f(x)$$

図 48-2　面積の増加分

ということになる。$F(x)$ を $f(x)$ の原始関数と呼ぶ（原始関数という言葉はフランスの数学者ルジャンドルによる）。C を定数として，$G(x)=F(x)+C$ としても $\mathrm{d}G/\mathrm{d}x=\mathrm{d}F/\mathrm{d}x=f(x)$ となるので，原始関数は定数の違いだけ異なっているものがあるということである。

　ただ，実際の計算で $x=0$ から $x=1$ まで求める場合は，

$$G(1)-G(0) = (F(1)+C)-(\mathrm{F}(0)+C)$$
$$= F(1)-F(0)$$

となるので，求める値が同じになり問題は生じない。

　ある関数を積分することはその原始関数を求めることであるから，$y=x^2$ の場合は，$f(x)=x^2$ の原始関数を求めればよいので，微分して x^2 になる関数を探せばよい。つまり，原始関数の一つは $F(x)=(1/3)x^3$ ということになる。

$$\int_a^x f(x)\mathrm{d}x = \frac{1}{3}x^3 - \frac{1}{3}a^3$$

　数学がさまざまな分野に応用されるようになってくると，このような積分だけではことが済まなくなる。物理では力や運動や仕事をはじめとするいろいろな概念が導入され，数学的に解釈される。

　水の流れにしても熱せられている物体にしても，密度や熱や温度などは，その粒子の位置（座標）や時間の実数値関数として表現される。これをスカラー場と呼んでいるが，例えば，熱板上の点 P の座標を (x, y) とすれば，その点 P の温度はある関数 $f(x, y)$ で表される。同じく，流体の点 P の座標が (x, y, z) とすれば，その点の密度はある関数 $g(x, y, z)$ で表される。

　このときに，この $f(x, y)$ や $g(x, y, z)$ をある曲線や曲面に沿って積分するといった必要性が出てくる。ある曲線に沿って積分するものを線積分という。その意味はともかくとして，その定義はいままでの積分とほぼ同じである。

　平面上の曲線とは，ある一つのパラメータ t につれて動く点 $P(x(t), y(t))$ の軌跡のことである。パラメータ t の動く区間を $[a, b]$ とすれば，曲線は $c(t) = (x(t), y(t))$ $(a \leqq t \leqq b)$ と書かれる。

　いま，ある平面上の関数 $f(x, y)$ を考える。

　このとき，平面上のある曲線に沿った関数 $f(x, y)$ の積分は次のように定義される。

　曲線 $c(t) = (x(t), y(t))$ のパラメータ t の区間 $[a, b]$ を n 個に細分して，$t_1 = a$, t_2, $\cdots$, $t_{n+1} = b$ とし，$c(a) = p_1$, $c(t_2) = p_2$, $\cdots$, $c(b) = p_{n+1}$ とする。

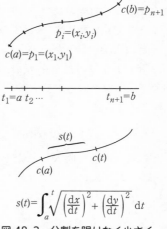

$$s(t) = \int_a^t \sqrt{\left(\frac{dx}{dt}\right)^2 + \left(\frac{dy}{dt}\right)^2}\, dt$$

図 48-3　分割を限りなく小さく

217

そこで，点 p_i の座標を (x_i, y_i) として，$f(x_i, y_i)$ と $\Delta t_i = t_{i+1} - t_i$ の積 $f(x_i, y_i) \cdot \Delta t_i$ を考えて，その総和を $T_n = \sum_{i=1}^{n} f(x_i, y_i) \cdot \Delta t_i$ とする。この分割を限りなく小さくしていったとき（n 分割の n を限りなく大きくしたとき）の数列 T_n の極限が，この曲線に沿った $f(x, y)$ の線積分と呼ばれ，

$$\int_C f(x, y) \mathrm{d}t$$

と表記される（もちろん，このような極限が存在するとしての話である）。

$$\int_C f(x, y) \mathrm{d}t = \int_a^b f(x, y) \mathrm{d}t = \lim_{n \to \infty} \sum_{i=1}^{n} f(x_i, y_i) \cdot \Delta t_i \quad (1)$$

ここでは簡単のために曲線は滑らかなものとしておく。区分的に滑らかな曲線の場合は，その滑らかなところで積分をして，それらの積分を足せばよい。もちろん，曲線を表すパラメータ t に特別な制限はないので，t の代わりに $c(a)$ から始まるこの曲線の長さを用いてもよい。$c(a)$ から $c(t)$ までの長さを s とすれば，s は t の関数である。

そのとき $c(a)$ から $p_{i+1} = c(t_{i+1})$ までの長さを $s(t_{i+1})$，$p_i = c(t_i)$ までの長さを $s(t_i)$，$\Delta s_i = s(t_{i+1}) - s(t_i)$ とすれば，今度は曲線そのものを n 分割していることになる。

このとき，

$$S_n = \sum_{i=1}^{n} f(x_i, y_i) \cdot \Delta s_i$$

として，n を無限大にしたときの極限を考えることができる。これを次のように表記する。

$$\int_C f(x, y) \mathrm{d}s = \lim_{n \to \infty} \sum_{i=1}^{n} f(x_i, y_i) \cdot \Delta s_i$$

また，$t_1 = a, t_2, t_3, \cdots, t_{n+1} = b$ に対応する x 座標を $x(t_i) = x_i$

として，それを用いて $\Delta x_i = x(t_{i+1}) - x(t_i)$ に対して，次のような積分を考えることもできる。

$$\int_C f(x, y)\mathrm{d}x = \lim_{n\to\infty}\sum_{i=1}^{n} f(x_i, y_i) \cdot \Delta x_i$$

これらは，いずれも曲線に沿った積分というわけである。違うのは，増分 Δ の取り方であり，どの方法で考えてもよい。したがって，これらの相互間の換算方法が大切になる。

s にしても x にしても，もともとパラメータ t の関数 $s = s(t), x = x(t)$ である。

$s = s(t)$ については，微分はそれぞれの増分 Δt と Δs の割合 $\Delta s / \Delta t$ の Δt を 0 に近づけたときの極限なので，十分小さな増分 Δt に対しては，$\mathrm{d}s/\mathrm{d}t \fallingdotseq \Delta s/\Delta t$ である。したがって，$\Delta s \fallingdotseq (\mathrm{d}s/\mathrm{d}t)\Delta t$ より，

$$\begin{aligned}
\Delta s_i &= s(t_{i+1}) - s(t_i) \\
&\fallingdotseq (\mathrm{d}s/\mathrm{d}t)(t_{i+1} - t_i) \\
&= (\mathrm{d}s/\mathrm{d}t)\Delta t_i
\end{aligned}$$

なので，

$$\begin{aligned}
\int f(x, y)\mathrm{d}s &= \lim_{n\to\infty}\sum_{i=1}^{n} f(x_i, y_i) \cdot \Delta s_i \\
&= \lim_{n\to\infty}\sum_{i=1}^{n} f(x_i, y_i) \cdot (\mathrm{d}s/\mathrm{d}t)\Delta t_i \\
&= \int f(x, y)(\mathrm{d}s/\mathrm{d}t)\mathrm{d}t \qquad (2)
\end{aligned}$$

全く同様にして，

$$\int f(x, y)\mathrm{d}x = \int f(x, y)(\mathrm{d}x/\mathrm{d}t)\mathrm{d}t \qquad (3)$$

このように，曲線の長さ s または x 座標 x を用いた積分 (2) (3) は，(1) のものに翻訳される。

注意すべき点は，線積分は曲線 C の向きに関係していると

いうことである。このことは普通の積分に関してもいえることであるが，$c(a)$ から $c(b)$ へ積分する場合とその逆では積分の符号が逆転する。

$$\int_b^a f(x,y)\mathrm{d}t = -\int_a^b f(x,y)\mathrm{d}t$$

また，普通の積分と違う点は，平面上の二点 P と Q を結ぶ曲線の経路に依存するということである。普通の積分では，

$$\int_a^b f(x)\mathrm{d}x = F(b)-F(a)$$

の右辺からわかるように，原始関数 F の始点 a と終点 b の値にのみ依存しているが，線積分では端点は同じでも経路によって積分値が異なる。

実際，$P(0,0)$ と $Q(1,1)$ を結んでいる二つの異なった曲線 $B : b(t) = (t, t)\,(0 \leq t \leq 1)$ と $C : c(t) = (t, t^2)\,(0 \leq t \leq 1)$ に沿って，$f(x,y) = xy$ を積分してみると次のようになる。

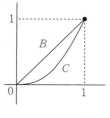

$$\int_B f(x,y)\mathrm{d}t = \int_0^1 t^2 \mathrm{d}t = \frac{1}{3}$$

$$\int_C f(x,y)\mathrm{d}t = \int_0^1 t^3 \mathrm{d}t = \frac{1}{4}$$

また，経路が閉じた曲線のときは $\oint$ という記号を用いて，

$$\oint_C f(x,y)\mathrm{d}t$$

と表記することがある。ただし，閉じた曲線では，その曲線で囲まれた領域が左側になるような曲線の方向を正とする（反時計回りが正）。

図 48-4　閉じた曲線

第 **49** 章
$\iint$
二重にインテグラルとは

前章で線積分について述べた。線積分は曲線に沿った積分であった。

$\iint_D$ は平面上の D という領域上の積分表記である。この積分は二重積分と呼ばれる。

いま、領域 D は平面上の円とか楕円などのような滑らかな曲線に囲まれているとし、$z=f(x,y)$ はこの領域で定義された連続な実数値関数とする。この領域を x 軸と y 軸に平行な線で切って長方形のピースを作る。つまり、D の上に網を被せた格好になる。そして、この D と重なっている長方形の部分に適当に番号をつけておく。いま、その重なった長方形が n 個であったとする。その i 番目の長方形を A_i とし、その面積を ΔA_i とする。A_i 上の点で D の点でもあるものを適当に選んで (x_i, y_i) とし、そこでの関数の値 $f(x_i, y_i)$ と ΔA_i との積を考える。それらの n 個をすべて加えたものを S_n とする。

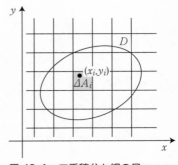

図 49-1 二重積分と網の目

$$S_n = \sum_{i=1}^{n} f(x_i, y_i) \Delta A_i$$

積分の定石通りに，この網の目を非常に小さくしていくことを考える。つまり，Dを被うピースの個数nを増やしていくのである。そのときの数列S_nの極限値を関数$f(x, y)$の

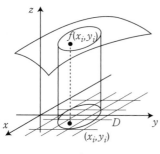

D上での二重積分と呼び，

$$\iint_D f(x, y) \mathrm{d}x \mathrm{d}y$$

と表記する（もちろん，そのような極限値が存在するとしての話である）。つまり，

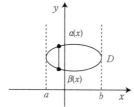

$$\iint_D f(x, y) \mathrm{d}x \mathrm{d}y$$

$$= \lim_{n \to \infty} \sum_{i=1}^{n} f(x_i, y_i) \Delta A_i$$

もちろん，定義からすぐにわかるように，$f(x, y) = 1$とすれば$\iint_D \mathrm{d}x \mathrm{d}y$は$D$の面積を表している。また，この積分は，$z = f(x, y) > 0$ならば，$D$を底面とし$z = f(x, y)$を上面とする図形の体積を表している。

さらには，二重積分における平均値の定理という次の性質が成り立つ。

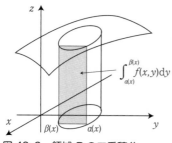

図49-2　領域 D の二重積分

それは，D の内部には次の等式を成り立たせる点 (a, b) が存在するというものである。

$$\iint_D f(x, y)\mathrm{d}x\mathrm{d}y = f(a, b)A(D)$$

ただし，$A(D)$ は領域 D の面積である。

ところで，積分は定義通りには計算できないのが普通だと考えておくとよい。そのために，実際に計算をするための方法が必要となるが，この場合は，二重積分と呼ばれることからもわかるように，本質的には普通の 1 変数の積分を繰り返すことによって計算する。

したがって，実際の計算にあたっては次のように考える。ここでは領域 D を表す数式が重要になる。

まず，領域 D が非常に単純な場合を考える。y 軸に平行な線を動かしていくときに D の左端と右端がただ一つずつあって，それぞれ $x = a, x = b$ とする（$a < b$）。したがって，その接点の D の上側と下側の境界線を表す式が $y = \alpha(x), y = \beta(x)$ と書けているとする（図 49-2 の真ん中）。

このようなときの積分は，$a \leqq x \leqq b$ の x を通り yz 平面に平行な面が作る図形の面積，

$$\int_{\beta(x)}^{\alpha(x)} f(x, y)\mathrm{d}y$$

である（図 49-2 の下）。これを x 方向に $x = a$ から $x = b$ まで集めればよいのだから次のようになる。

$$\iint_D f(x, y)\mathrm{d}x\mathrm{d}y = \int_a^b \left\{ \int_{\beta(x)}^{\alpha(x)} f(x, y)\mathrm{d}y \right\}\mathrm{d}x$$

同じように，x 軸に平行な線を動かしていくときに D の下端と上端がただ一つずつあって $y = c, y = d$（$c < d$）であるとする。したがって，その接点の D の右側と左側の境界線が

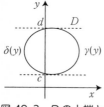

図 49-3 D の上端と下端がただ一つずつ

ある数式で $x=\gamma(y), x=\delta(y)$ と書けていれば，その積分は次のようになる。

$$\iint_D f(x,y)\mathrm{d}x\mathrm{d}y$$
$$= \int_c^d \left\{ \int_{\delta(y)}^{\gamma(y)} f(x,y)\mathrm{d}x \right\}\mathrm{d}y$$

このように，1変数の積分を順次使って計算する方法を逐次積分という。

$$\iint_D f(x,y)\mathrm{d}x\mathrm{d}y = \int_a^b \left(\int_{\beta(x)}^{\alpha(x)} f(x,y)\mathrm{d}y \right)\mathrm{d}x$$
$$= \int_c^d \left(\int_{\delta(y)}^{\gamma(y)} f(x,y)\mathrm{d}x \right)\mathrm{d}y$$

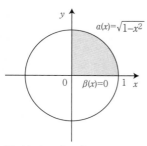

図 49-4 $x^2+y^2 \leqq 1$

例えば，関数 $f(x,y)=xy$ の領域 $D = \{(x,y)\,|\,x \geqq 0, y \geqq 0\,;\ x^2+y^2 \leqq 1\}$ での二重積分を求めてみよう。領域 D の境界は滑らかではないが，滑らかな三つの曲線（直線を2本含む）で囲まれていることがわかる。このように有限個の滑らかな曲線で囲まれている場合にも上に述べた積分は考えることができる。いま，y 軸に平行な直線を動かしていった場合に領域 D は $x=0$ と $x=1$ の間に，囲まれていることがわかる。もっともこの領域の左端はただ一点でできているわけではないが，一本の線でできているから逐次積分をするには困らない。

この領域の上側は
$$y = \alpha(x) = \sqrt{1-x^2}$$

である。下側は，

$$\beta(x) = 0$$

である。こうして，

$$\iint_D f(x, y) \mathrm{d}x\mathrm{d}y = \int_0^1 \left\{ \int_0^{\sqrt{1-x^2}} xy\mathrm{d}y \right\} \mathrm{d}x$$

$$= \int_0^1 \left[\frac{1}{2}xy^2 \right]_0^{\sqrt{1-x^2}} \mathrm{d}x$$

$$= \int_0^1 \frac{1}{2}x(1-x^2)\mathrm{d}x$$

$$= \frac{1}{2}\int_0^1 (x-x^3)\mathrm{d}x$$

$$= \frac{1}{2}\left[\frac{1}{2}x^2 - \frac{1}{4}x^4 \right]_0^1 = \frac{1}{8}$$

となる。

ところで，この二重積分が周囲の境界の線積分に帰着される場合がある。単純な凸な領域 D を例にとる。D の外周の曲線を C とする。

すでに見たように，これらがうまく長方形に囲まれ，その外壁とは一点で接しているものとし，上側の曲線を $y = \alpha(x)$，下側の曲線を $y = \beta(x)$ としよう。

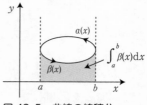

図 49-5　曲線の線積分

いま，$f(x, y) = y$ となる関数をこの線上で線積分する。

$$\int_C f(x, y)\mathrm{d}x = \int_a^b y\mathrm{d}x$$

$$= \int_a^b \beta(x)\mathrm{d}x + \int_b^a \alpha(x)\mathrm{d}x$$

$$= \int_a^b \beta(x)\mathrm{d}x - \int_a^b \alpha(x)\mathrm{d}x$$

$\displaystyle\int_a^b \beta(x)\mathrm{d}x$ は $\beta(x)$ から x 軸までの面積を示しており，$\displaystyle\int_a^b \alpha(x)\mathrm{d}x$ は $\alpha(x)$ から x 軸までの面積を示しているから，この右辺は明らかに $-D$ の面積を示している。よって，次の式を得る。

$$\int_C f(x,y)\mathrm{d}x = \int_C y\mathrm{d}x = -\iint_D \mathrm{d}x\mathrm{d}y$$

次に，$g(x,y)=x$ をこの線上で線積分する。今度は，曲線 $x=\delta(y)$ と $x=\gamma(y)$ を考えることにより，次のようになる。

$$\int_C g(x,y)\mathrm{d}y = \int_c^d x\mathrm{d}y$$
$$= \int_c^d \gamma(y)\mathrm{d}y + \int_d^c \delta(y)\mathrm{d}y$$
$$= \int_c^d \gamma(y)\mathrm{d}y - \int_c^d \delta(y)\mathrm{d}y$$

この右辺は D の面積を示している。こうして，次の式を得る。

$$\int_C g(x,y)\mathrm{d}y = \int_C x\mathrm{d}y$$
$$= \iint_D \mathrm{d}x\mathrm{d}y$$

これらをあわせると次のようになる。

$$\iint_D \mathrm{d}x\mathrm{d}y = \frac{1}{2}\int_C (x\mathrm{d}y - y\mathrm{d}x)$$

このことを応用して，曲線で囲まれている図形で，その周囲にあてて転がせばその面積が算出されるプラニメータ（planimeter）という器具が開発されている。

これは，二重積分が線積分に帰着されるというグリーンの公式の特別な形である。

グリーンは数学者ではなくイギリスのパン職人であったため，グリーンの名前が有名になるのは彼の死後である。

grad, ∇
日本の景気は底なし沼？

grad は gradient の略であり，勾配と訳されている。勾配とは傾きのことである。

これは，関数 f に対して定義される概念であり，grad 単独で用いることはなく，grad f というように用いる。

例えば，$f(x)=x^2$ ならば，これを微分すると $\mathrm{d}f/\mathrm{d}x=2x$ である。したがって，$x=1$ における微分は $(\mathrm{d}f/\mathrm{d}x)_{x=1}=2$ である。これは，関数 $y=f(x)$ の点 $x=1$ におけるグラフの接線の傾きを示している。この傾きのことを勾配と呼ぶ。この勾配（＝傾き）が関数 f の変化の状態を示している。ただ，1変数の場合は，微分そのものであるから，ことさらこの勾配を grad f という表記はしない。

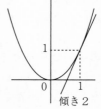

傾き 2

一般に，1変数の実数値関数 f：R→R を考えるとき，勾配が0になる点は f の臨界点と呼ばれ，関数 f を特徴づける点となる。この臨界点は，f の極大点（山の頂上），極小点（鍋の底），変曲点（S字カーブ）と

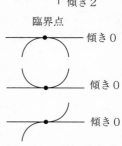

臨界点

傾き 0

傾き 0

傾き 0

図 50-1　勾配と臨界点

呼ばれる点のいずれかである。そのいずれであるかを決定するには，この勾配が臨界点の前後でどのように変化しているかをしらべることが必要になる。$f(x) = x^2$ の場合，臨界点は微分が消える点なので，$x = 0$ である。

そこで，$x = 0$ の付近で，$x = -1/2$ では $(df/dx)_{x=-1/2} = -1$ なのでその勾配（傾き）は負であり，$x = 1/2$ では $(df/dx)_{x=1/2} = 1$ なので正になる。したがって，$x < 0$ では，この曲線の接線の勾配が負で，x が 0 に近づくほど勾配は緩くなり，その勾配は $x = 0$ で水平になり，$x > 0$ であれば勾配が正で，0 から離れるにしたがって勾配は急になる。つまり，この臨界点 $x = 0$ は鍋の底になる。つまり，この点を極小点（極小値を与える点）という。昔，鍋底景気という言葉があった。このように，底であるかどうかを判断することは大切なことである。その意味で臨界点は重要である。もし，これとは逆に，臨界点付近で勾配が正から負へと変化するときはこの点は山の頂上（極大点）になり，極大値を与える。臨界点の前後で符号の変化がないときは，この点を変曲点という。

もっとも，臨界点では微分がゼロなので，2 回の微分を考えることで判定することができる。臨界点での 2 回の微分が正ならば極小点であり，負ならば極大点である。

$$f'(a) = 0, \quad f''(a) > 0 \Rightarrow x = a \text{ が極小点}$$
$$f'(a) = 0, \quad f''(a) < 0 \Rightarrow x = a \text{ が極大点}$$
$$f'(a) = 0, \quad f''(a) = 0 \Rightarrow ? \text{（わからない）}$$

このことを 2 変数の実数値関数 $z = f(x, y)$ で考えてみる。この f の変数 x についての微分 $\partial f/\partial x = f_x$ と変数 y につ

いての微分 $\partial f / \partial y = f_y$ の対 (f_x, f_y) が重要になる。

　微分 $\partial f / \partial x = f_x$ は，関数 $f(x, y)$ の y を定数と考えて x についてのみ微分したもので，x に関する偏微分という。$f(x, y) = x^2 + y^2$ であれば，$\partial f / \partial x = f_x = 2x$ である。同様に $\partial f / \partial y = f_y = 2y$ である。したがって，$(f_x, f_y) = (2x, 2y)$ である。これを grad f と表し，点 (x, y) における f の勾配または勾配ベクトルという。

　grad f の代わりに ∇f と表すこともある。∇ はナブラといい，アッシリアの竪琴の形からそのように呼ばれている。∇ は Δ の逆なので，delta を逆さに綴って atled と呼んだ本もあったらしいが，今ではほとんど見かけないという。$\nabla = (\partial / \partial x, \partial / \partial y)$ を形式的記号だと考えて，

$$\nabla f = (\partial f / \partial x, \partial f / \partial y)$$

とすることで，∇ を f に作用を表す記号だと考えることもできる。

　ところで，1変数と同じく勾配が 0 になる点（$f_x = f_y = 0$ となる点）を f の臨界点という。この臨界点が1変数と同じように，この関数 f の変化を特徴づける。

　たとえば，$z = f(x, y) = x^2 + y^2$ のグラフは下記のような形をしている。この場合，臨界点は $f_x = \partial f / \partial x = 2x = 0$, $f_y = \partial f / \partial y = 2y = 0$ となる点であるから，原点 $(0, 0)$ である。ちょうどこの点は，まさに鍋底になっている。

　ところが，$z = f(x, y) = x^2 - y^2$ の場合はどうであろうか。

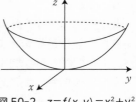

図 50-2　$z = f(x, y) = x^2 + y^2$

この場合は，$\mathrm{grad}\,f=(f_x,\,f_y)=(2x,\,-2y)$ である。そこで臨界点を求めると，$f_x=2x=0,\,f_y=-2y=0$ の点だから，やはり $(0,\,0)$ となる原点である。つまり，どちらも原点が臨界点である。後者も鍋底なのかというとそうではない。それは，この $\mathrm{grad}\,f=(f_x,\,f_y)=(2x,\,-2y)$ を見ればよい。

　$f_x=\partial f/\partial x=2x$ は，y を定数と見て微分したものだと考えたものであるから，特に，$y=0$，つまり，$z=f(x,\,0)=x^2$ のグラフを xz 平面上で考えてみれば，1変数で見たように，その臨界点 $x=0$ のところは底である。

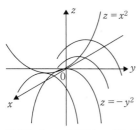

図50-3　yz 平面上で考える

　ところが，一方，$f_y=\partial f/\partial y=-2y$ を同じように，$x=0$，つまり，$z=f(0,\,y)=-y^2$ のグラフを yz 平面上で考えてみれば，その臨界点 $y=0$ のところは山の頂上である。これらのことから察しがつくように，臨界点 $(0,\,0)$ の付近の様子は，x 軸に沿っては鍋底で，y 軸に沿っては山の頂上であるという形のグラフである。このような臨界点を鞍点（saddle point）と呼んでいる。

　このように，$\mathrm{grad}\,f$ が臨界点での近くの形状を支配していることがわかる。

　ところで，$\mathrm{grad}\,f$ が勾配と呼ばれるからには，呼ばれるにふさわしい特徴を備えているはずである。実際，$\mathrm{grad}\,f$ はベクトルなのでその方向と大きさには特別の意味がある。

　先ほどの関数 $z=f(x,\,y)=x^2+y^2$ で，その特徴を見てみよう。

　いま，x と y が適当なパラメータ t を用いて，t の関数として $x(t), y(t)$ と書けたとする。t が数直線上を動くとすると，$(x(t), y(t))$ は xy 平面上に一つの曲線を描くことになるので，これを $\phi(t)$ と表して，$\phi(t) = (x(t), y(t))$ を曲線と呼ぶ。

　さて，いまこのような曲線に沿って $z = f(x, y)$ を考えてみると，

$$z(t) = f(x(t), y(t)) = x^2(t) + y^2(t)$$

なので，これを t で微分してみる。つまり，z の値がこの曲線に沿ってどのように変化するかを見てみようというわけである。

$$\frac{\mathrm{d}z}{\mathrm{d}t} = 2x(t)\frac{\mathrm{d}x}{\mathrm{d}t} + 2y(t)\frac{\mathrm{d}y}{\mathrm{d}t}$$

よく見るとこの右辺は，ベクトル $(2x(t), 2y(t))$ と $(\mathrm{d}x/\mathrm{d}t, \mathrm{d}y/\mathrm{d}t)$ との内積になっている。

　前者の $(2x(t), 2y(t))$ は grad f であり，後者の $(\mathrm{d}x/\mathrm{d}t, \mathrm{d}y/\mathrm{d}t)$ はこの曲線 $(x(t), y(t))$ に沿った接線ベクトル $\dfrac{\mathrm{d}\phi}{\mathrm{d}t}$ を表している。つまり，z の変化は grad f と接線ベクトルでコントロールされていることになる。

　接線ベクトル $\dfrac{\mathrm{d}\phi}{\mathrm{d}t}$ を $\boldsymbol{t}$ と書くことにし，ベクトル grad f とのなす角度を θ とすれば，

$$\frac{\mathrm{d}z}{\mathrm{d}t} = \mathrm{grad}\, f \cdot \boldsymbol{t} = \|\mathrm{grad}\, f\| \cdot \|\boldsymbol{t}\| \cos\theta$$

つまり，$\theta = 0$ のときが dz/dt はもっとも大きくなり，$\theta = \pi/2$ のとき 0 となることがわかる（$\|\ \ \|$ はベクトルの大きさで，・は内積）。

　$\theta = 0$ のときは，接線ベクトル $\boldsymbol{t}$ は，ベクトル grad f と同

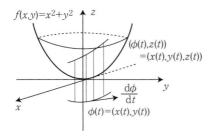

$f(x,y)=x^2+y^2$

$(\phi(t),z(t))$
$=(x(t),y(t),z(t))$

$\dfrac{\mathrm{d}\phi}{\mathrm{d}t}$

$\phi(t)=(x(t),y(t))$

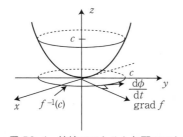

c

c

$\dfrac{\mathrm{d}\phi}{\mathrm{d}t}$

$f^{-1}(c)$

grad f

図 50-4　接線ベクトルと勾配ベクトル

じ方向を向いていると
いうことである。つま
り，ベクトル grad f
の方向に沿った曲線上
で z はもっとも大き
く増加し，その増加分
は $\|\mathrm{grad}\,f\|$ の2乗，つ
まり，ベクトル grad f
の大きさの2乗という
ことである。

したがって，grad f
は z がもっとも急激
に増加する方向を向い
ていることになり，そ
の大きさはベクトルの
大きさの2乗である。

これが，ベクトル (f_x, f_y) が勾配と呼ばれる理由である。

一方，$\theta=\pi/2$ のとき 0 となるということは，$dz/dt=0$ な
ので $z=$ 定数ということである。$z=$ 定数 $=c$ となる点
(x, y)，つまり，$\{(x,y)\,|\,x^2+y^2=c\}$（$=f^{-1}(c)$ とも表記す
る）上の曲線に沿ったベクトルが t であるから，grad f は
$f^{-1}(c)$ に直交していることを意味している。

もっと一般に，$w=f(x,y,z)$ に対しても，勾配ベクトルは

$$\mathrm{grad}\,f = (f_x, f_y, f_z)$$

であり，いまと同じ性質を持っている。

すでに述べてきたように，$z=f(x,y)$ や $w=f(x,y,z)$ の

形の特徴を決めるのは grad f の動きであり，その臨界点であるが，その臨界点の付近の様子は 1 変数ほど単純ではない。しかし，1 変数と同じく，臨界点における 2 回の微分が重要である。2 変数以上では，2 回の偏微分の作る行列を考えることになる。この 2 回の偏微分の作る行列をヘッセ行列といい，その行列式をヘッシアンと呼ぶ。ヘッセは 19 世紀ドイツの数学者である。

$z=f(x,y)$ のときのヘッセ行列は次のようになる。

$$
\begin{pmatrix}
\dfrac{\partial}{\partial x}\dfrac{\partial f}{\partial x}=f_{xx} & \dfrac{\partial}{\partial y}\dfrac{\partial f}{\partial x}=f_{xy} \\[2mm]
\dfrac{\partial}{\partial x}\dfrac{\partial f}{\partial y}=f_{yx} & \dfrac{\partial}{\partial y}\dfrac{\partial f}{\partial y}=f_{yy}
\end{pmatrix}
$$

f が何回でも微分できるときは，$f_{xy}=f_{yx}$ であるから対称行列になる。

まとめると，

・この行列式が正で，$f_{xx}>0$ のとき，臨界点は極小点となる。

・この行列式が正で，$f_{xx}<0$ のとき，臨界点は極大点となる。

・この行列式が負のときは，鞍点になる。

一般に，R^2 や R^3 でのベクトル場 $\boldsymbol{F}$（ベクトル値関数）が与えられたときに，ある 2 変数または 3 変数の関数 f が存在して，$\boldsymbol{F}=\nabla f$ と書けるときに f を $\boldsymbol{F}$ のポテンシャル関数という。物理では，$\boldsymbol{F}=-\nabla f$ となるような f をポテンシャル関数と呼んでいるが，$\boldsymbol{F}$ は力を表し，f は位置エネルギーなどのエネルギーを表している。したがって，物理学などではベクトル場 $\boldsymbol{F}$ があるときに，それを表すポテンシャルの存在が問題となる。

div
流れを数学する

div は divergence（発散）の略である。この用語はベクトル解析で用いられる。

空間内のある領域で定義されたベクトル値関数のことをベクトル場という。空間 R^3 のある領域で定義されたベクトル場 V

$$V(x, y, z) = (f(x, y, z), g(x, y, z), h(x, y, z))$$

を考える。例えば，流水の速さだと考えてもよい。このとき，作用素，

$$\nabla = \left(\frac{\partial}{\partial x}, \frac{\partial}{\partial y}, \frac{\partial}{\partial z} \right)$$

を形式的なベクトルと考えて，∇ と V との形式的な内積・を考える。つまり，

$$\nabla \cdot V = \frac{\partial f}{\partial x} + \frac{\partial g}{\partial y} + \frac{\partial h}{\partial z}$$

を div V と表記し，V の発散（量）という。内積って何？と余計なことを考えたくない場合は，div V とは $\partial f/\partial x + \partial g/\partial y + \partial h/\partial z$ のことだと思えばよい。

$\nabla \cdot V = $ div V が発散と呼ばれるのには次のようなわけがある。

水道管でも川の流れでもいいが，その流速が V であると

して，各点で非常に小さな
立方体を考え，その x, y, z
のそれぞれの方向に水が流
れ出すとする。このとき，
この方向の単位容積あたり
の流量を足し合わせたもの
が div V となる。

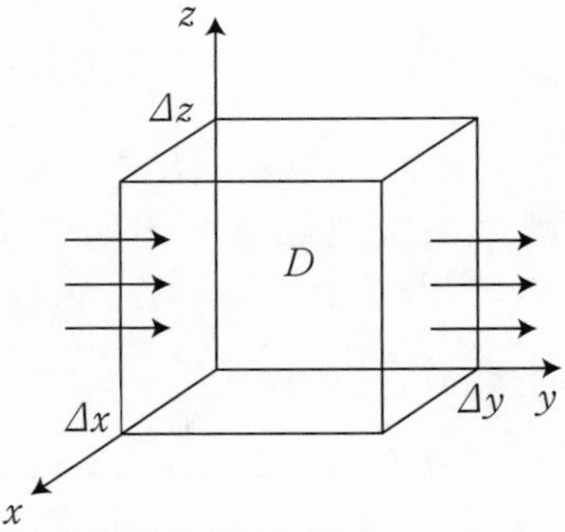

実際，いま，密度が ρ で
あり流速が，

$$V = (v_1, v_2, v_3)$$

である流体を考えてみる。このとき，単位あたりの質量の流
れ（質量速度）は，

$$\rho V = (\rho v_1, \rho v_2, \rho v_3)$$

である。

いま，座標軸に平行な長さ $\Delta x, \Delta y, \Delta z$（$\Delta x$ は x 方向の微
小の変化という意味で使っている）を持つ直方体 D を考え
る。この直方体の体積を ΔD とすれば，$\Delta D = \Delta x \Delta y \Delta z$ であ
る。

いま，y 軸に垂直な D の一方の面から入ってくる流量と反
対側の面から出て行く流量を考える。いま考えている面は y
軸に垂直なので ρv_2 のみが関係している。非常に短い時間
Δt の間にこの一方の面に入ってくる流体の質量は，

$$\rho v_2(x, y, z) \Delta x \Delta z \Delta t$$

となる。一方，同じ時刻に反対側の面から出て行く質量は，

$$\rho v_2(x, y + \Delta y, z) \Delta x \Delta z \Delta t$$

である。そうしてこれは，

図 51　質量速度の微小変化

$$\rho v_2(x, y+\Delta y, z) = \rho v_2(x, y, z) + \frac{\partial \rho v_2}{\partial y}\Delta y$$

と近似的に考えられる（変数 y のみに関する 1 変数関数の微分だと考えれば，$g(y) = \rho v_2(x, y, z)$ として，$\frac{g(y+\Delta y)-g(y)}{\Delta y} \fallingdotseq g'(y)$ なので，その分母を払ったと思えばよい）。したがって，その差は，

$$\{\rho v_2(x, y+\Delta y, z) - \rho v_2(x, y, z)\}\Delta x \Delta z \Delta t$$

$$= \frac{\partial \rho v_2}{\partial y}\Delta y \Delta x \Delta z \Delta t$$

$$= \frac{\partial \rho v_2}{\partial y}\Delta D \Delta t$$

となり，他の面でも同様に考えるとその差はそれぞれ，

$$\frac{\partial \rho v_1}{\partial x}\Delta D \Delta t, \quad \frac{\partial \rho v_3}{\partial z}\Delta D \Delta t$$

となる。よって，その総和は，

$$\left(\frac{\partial \rho v_1}{\partial x} + \frac{\partial \rho v_2}{\partial y} + \frac{\partial \rho v_3}{\partial z}\right)\Delta D \Delta t$$

となる。一方，D 内の質量の損失はいろいろあるが，密度の時間的変化（$\partial \rho / \partial t$）によっても起きると考えられるので，損失は次のようになる。

$$-\frac{\partial \rho}{\partial t}\Delta D \Delta t$$

それ以外に D では何も起きていないとすれば，これらは等しいはずであるから，

$$\left(\frac{\partial \rho v_1}{\partial x} + \frac{\partial \rho v_2}{\partial y} + \frac{\partial \rho v_3}{\partial z} \right) \Delta D \Delta t = - \frac{\partial \rho}{\partial t} \Delta D \Delta t$$

である。さて，単位時間，単位質量あたりの変化を計算するには，両辺を $\Delta D \Delta t$ で割ればよい。

$$\frac{\partial \rho v_1}{\partial x} + \frac{\partial \rho v_2}{\partial y} + \frac{\partial \rho v_3}{\partial z} = \mathrm{div} \, \rho V = - \frac{\partial \rho}{\partial t}$$

つまり，$\mathrm{div} \, \rho V$ は，単位時間，単位質量あたりの損失を示していることになる。したがって，これを発散と呼んでいる。

こうして，次の式を得る。

$$\mathrm{div} \, \rho V + \frac{\partial \rho}{\partial t} = 0$$

もし流れが時間によらない（＝定常）ならば $\partial \rho / \partial t = 0$ であるから，$\mathrm{div} \, \rho V = 0$ となる。

特に，水のように密度が変化しない流体は非圧縮流体と呼ばれる。非圧縮流体の流れでは，$\rho =$ 定数なので $\partial \rho / \partial t = 0$ であるから $0 = \mathrm{div} \, \rho V = \rho \, \mathrm{div} \, V$ となり，$\mathrm{div} \, V = 0$ である。したがって，$\mathrm{div} \, V = 0$ は非圧縮性の条件とも呼ばれている。しかし，空気などの気体や蒸気は密度が一定ではないから圧縮性の流体といわれる。$\mathrm{div} \, V > 0$ ならば湧き出しがあり，$\mathrm{div} \, V < 0$ ならば内部に吸い込みがあるという。

また，発散に関しては，ガウスの発散定理と呼ばれる定理がある。ここではこれ以上は触れないが，流量に関する考察から自然に成り立つと考えられる定理である。この公式は，実際の計算上，体積の積分を面積の積分に変換し，さらにその逆の公式を与えている点で重要な定理である。

第 52 章

rot, curl
それでも地球は回る

rot は rotation の略である。rotation も curl も回転の意味がある。この用語はベクトル解析で用いられる。ベクトル解析は物理学や工学にはなくてはならない道具である。

座標が (x, y, z) である空間の点 P を $P(x, y, z)$ と書くことにする。この各点 $P(x, y, z)$ でのベクトル値関数 $F(x, y, z) = (f(x, y, z), g(x, y, z), h(x, y, z))$ はベクトル場と呼ば

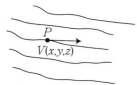

図 52 流れのベクトル場

れる。例えば、水の流れがあって、その任意の点 $P(x, y, z)$ での流速 $V(x, y, z)$ を考えるとき、それは大きさと方向を持っているベクトル値関数であるからベクトル場の例である。

今あるベクトル場 F と F の成分の偏微分 $\partial f/\partial x, \partial g/\partial y, \partial h/\partial z$ を考えると、ベクトル $(\partial f/\partial x, \partial g/\partial y, \partial h/\partial z)$ が得られる。いま、偏微分の記号のみをベクトル的に表示したものを ∇（ナブラ）を用いて、

$$\nabla = \left(\frac{\partial}{\partial x}, \frac{\partial}{\partial y}, \frac{\partial}{\partial z} \right)$$

と書くことにする。このとき、$(\partial f/\partial x, \partial g/\partial y, \partial h/\partial z)$ を ∇ がベクトル F に作用した結果だと考えて、

$$\nabla F = \left(\frac{\partial f}{\partial x}, \frac{\partial g}{\partial y}, \frac{\partial h}{\partial z} \right)$$

とする。

一方，見方を変えて，∇ を形式的なベクトルと考え，∇ と F との形式的な外積 × を考える。

$$\nabla \times F = \left(\frac{\partial h}{\partial y} - \frac{\partial g}{\partial z}, \frac{\partial f}{\partial z} - \frac{\partial h}{\partial x}, \frac{\partial g}{\partial x} - \frac{\partial f}{\partial y} \right)$$

このベクトルを回転（ローテション）と呼び，それを $\mathrm{rot}\,F$ と表記するが，$\mathrm{curl}\,F$ と書く場合もある。rot は名前の通り，回転現象を記述している。

rot の物理学的な意味を考えてみる。

各点 $P(x, y, z)$ での速度ベクトルを $V(x, y, z)$ とし，$V(x, y, z)$ のある点 $P(x_0, y_0, z_0)$ でのテイラー展開を考える。

$$\Delta x = x - x_0, \quad \Delta y = y - y_0, \quad \Delta z = z - z_0$$

とすると，

$$V(x, y, z) = V(x_0, y_0, z_0) + \frac{\partial V}{\partial x} \Delta x + \frac{\partial V}{\partial y} \Delta y + \frac{\partial V}{\partial z} \Delta z$$
$$+ (2 \text{ 次以上の高次の項})$$

となる。

この式を見て難しく考える必要はない。いま，その詳細を求めているのではなくて，全体の流れと考え方を述べているのであるから，1 変数の時を思い起こせばよい。

1 変数の場合を考えると，$\Delta x = x - x_0$ が十分小さいときには，

$$\frac{f(x) - f(x_0)}{x - x_0} \fallingdotseq f'(x)$$

であるから，

$$f(x) \fallingdotseq f(x_0) + f'(x)(x - x_0) = f(x_0) + f'(x)\varDelta x$$

である。本来は，この後に $\varDelta x$ の2次以上の項がくるのである。このようなことが，2変数以上でも成り立つのだと考えておけばよい。

いま点 $P(x_0, y_0, z_0)$ の十分近くだけを考えているとすれば，2次の項以降は無視してもよいから，次のようになる。

$$V(x, y, z) = V(x_0, y_0, z_0) + \frac{\partial V}{\partial x}\varDelta x + \frac{\partial V}{\partial y}\varDelta y + \frac{\partial V}{\partial z}\varDelta z$$

$V(x, y, z) = (v_1(x, y, z), v_2(x, y, z), v_3(x, y, z))$ を簡単に $V = (v_1, v_2, v_3)$ と書くことにし，

$$\frac{\partial V}{\partial x} = \left(\frac{\partial v_1}{\partial x}, \frac{\partial v_2}{\partial x}, \frac{\partial v_3}{\partial x} \right) = (a_{11}, a_{12}, a_{13})$$

と書くことにする。ただし，$a_{11} = \partial v_1/\partial x, a_{12} = \partial v_2/\partial x, a_{13} = \partial v_3/\partial x$ である。同様に，$\partial V/\partial y = (a_{21}, a_{22}, a_{23}), \partial V/\partial z = (a_{31}, a_{32}, a_{33})$ とする。

これらからできる行列を $A = (a_{ij})$ とする。さて一般に，行列 A は対称行列 B と交代行列 C の和でただ一通りに書ける。実際，$B = 1/2(A + {}^tA), C = 1/2(A - {}^tA)$ とおけば，$A = B + C$ である。ただし，${}^tA$（または A^t）は A の行と列を入れかえた行列で，転置行列と呼ばれる。

このとき，上記の式は次のようになる。

$$\begin{aligned}
V(x, y, z) &= V(x_0, y_0, z_0) + A^t(\varDelta x, \varDelta y, \varDelta z) \\
&= V(x_0, y_0, z_0) + (B + C)^t(\varDelta x, \varDelta y, \varDelta z) \\
&= V(x_0, y_0, z_0) + B^t(\varDelta x, \varDelta y, \varDelta z) \\
&\quad + C^t(\varDelta x, \varDelta y, \varDelta z)
\end{aligned}$$

$$ {}^t(\Delta x, \Delta y, \Delta z) = \begin{pmatrix} \Delta x \\ \Delta y \\ \Delta z \end{pmatrix} $$

　まず，第 2 項 $B{}^t(\Delta x, \Delta y, \Delta z)$ を考える。B は対称行列なので適当な直交行列で対角化できて，対角行列，

$$ \begin{pmatrix} \lambda_1 & 0 & 0 \\ 0 & \lambda_2 & 0 \\ 0 & 0 & \lambda_3 \end{pmatrix} \quad (\lambda_1, \lambda_2, \lambda_3 \text{ を } B \text{ の固有値という}) $$

になる。このとき $(\Delta x, \Delta y, \Delta z)$ が直交行列で変換されて $(\delta_1, \delta_2, \delta_3)$ になったとすれば，この項は $(\lambda_1 \delta_1, \lambda_2 \delta_2, \lambda_3 \delta_3)$ となり，点 $P(x_0, y_0, z_0)$ では，$\delta_1, \delta_2, \delta_3$ の方向へ $\lambda_1, \lambda_2, \lambda_3$ 倍伸びるか縮むかの運動が起きているということである。

　次に第 3 項 $C{}^t(\Delta x, \Delta y, \Delta z)$ を考えてみる。

　$C = (c_{ij})$ とすれば，

$$ c_{ij} = \frac{1}{2}(a_{ij} - a_{ji}) $$

である。明らかに $c_{ii} = 0, c_{ij} = -c_{ji}$ である。そうすると，

$C{}^t(\Delta x, \Delta y, \Delta z)$
$\quad = {}^t(c_{12}\Delta y + c_{13}\Delta z, c_{21}\Delta x + c_{23}\Delta z, c_{31}\Delta x + c_{32}\Delta y)$
$\quad = {}^t((\Delta x, \Delta y, \Delta z) \times (c_{23}, c_{31}, c_{12}))$ 　（$\times$ は外積の記号）

ここで $\mathrm{rot}\, V = \left(\dfrac{\partial v_3}{\partial y} - \dfrac{\partial v_2}{\partial z}, \dfrac{\partial v_1}{\partial z} - \dfrac{\partial v_3}{\partial x}, \dfrac{\partial v_2}{\partial x} - \dfrac{\partial v_1}{\partial y} \right)$ なので，

$$ c_{12} = \frac{1}{2}(a_{12} - a_{21}) = \frac{1}{2}\left(\frac{\partial v_2}{\partial x} - \frac{\partial v_1}{\partial y} \right) $$
$$ = 1/2 \quad (\mathrm{rot}\, V \text{ の第三成分}) $$

同様に，

$$ c_{23} = 1/2 \quad (\mathrm{rot}\, V \text{ の第一成分}) $$
$$ c_{31} = 1/2 \quad (\mathrm{rot}\, V \text{ の第二成分}) $$

つまり，

$$(c_{23}, c_{31}, c_{12}) = \frac{1}{2}\operatorname{rot} V = \frac{1}{2}(\nabla \times V)$$

である。このとき実際に何が起きているかを見るために，xy 平面，yz 平面，zx 平面に分けて考察する。

$$
\begin{aligned}
&C^t(\Delta x, \Delta y, \Delta z) \\
&= {}^t(c_{12}\Delta y + c_{13}\Delta z, c_{21}\Delta x + c_{23}\Delta z, c_{31}\Delta x + c_{32}\Delta y) \\
&= {}^t(c_{12}\Delta y, c_{21}\Delta x, 0) + {}^t(0, c_{23}\Delta z, c_{32}\Delta y) + {}^t(c_{13}\Delta z, 0, c_{31}\Delta x)
\end{aligned}
$$

第一項は z の項が 0 の xy 平面の動きで，次のようになる。

$$
{}^t(c_{12}\Delta y, c_{21}\Delta x, 0) = D^t(\Delta x, \Delta y, \Delta z)
$$

$$
D = \begin{pmatrix} 0 & c_{12} & 0 \\ c_{21} & 0 & 0 \\ 0 & 0 & 0 \end{pmatrix}
$$

そこで xy 平面で z 軸中心の次のような回転を考える。

$$
\omega(t) = \begin{pmatrix} \cos c_{12}t & \sin c_{12}t & 0 \\ -\sin c_{12}t & \cos c_{12}t & 0 \\ 0 & 0 & 1 \end{pmatrix}
$$

いま，$t=0$ のときの $d\omega(t)/\mathrm{d}t$ を考えて（この意味は，$\omega(t)$ のすべての成分を t で微分するということ），$t=0$ とすれば行列 D を得る。つまり，第一項は z 軸の周りの角速度 c_{12} の回転になっていると考えることができる。他の成分もそれぞれ x 軸，y 軸の周りの回転であることがわかる。

川の流れを考えたときに各点はそれ自体が回転しながら流れていることになる。その各点で $\nabla \times V = \operatorname{rot} V$ を考えると，$\operatorname{rot} V$ の各成分は各軸の周りの回転の角速度の 2 倍になっているので，このベクトルを回転と呼ぶのである。

$\Gamma(s)$

$n!$ を拡張するとこうなる

$\Gamma(s)$ はガンマ関数と呼ばれるものであり，$s > 0$ で定義される。

$\Gamma(s)$ は次の性質を持っている。

$\Gamma(s+1) = s\Gamma(s)$

$\Gamma(1) = 1$

いま，s が自然数 n のときを考えると，以下のようになる。

$$\begin{aligned}
\Gamma(n+1) &= n\Gamma(n) \\
&= n(n-1)\Gamma(n-1) = \cdots \\
&= n(n-1)(n-2)(n-3)\cdots1\Gamma(1) \\
&= n!
\end{aligned}$$

したがって，ガンマ関数は $n!$ を n が自然数の場合から正の実数の場合にまで広げたものだということになる。ガンマ関数は，実数 $s > 0$ に対して次のように定義される。

$$\Gamma(s) = \int_0^\infty e^{-x}x^{s-1}\mathrm{d}x$$

この定義にしたがって計算すると上の二つの性質を検証できる。

$$\Gamma(1) = \int_0^\infty e^{-x}\mathrm{d}x = [-e^{-x}]_0^\infty = 1$$

$$\Gamma(s+1) = \int_0^\infty e^{-x}x^s \mathrm{d}x \quad (\text{部分積分する})$$
$$= [-e^{-x}x^s]_0^\infty + \int_0^\infty e^{-x}sx^{s-1}\mathrm{d}x \quad (-e^{-x}x^s \xrightarrow[\substack{x\to\infty \\ x\to 0}]{} 0)$$
$$= \int_0^\infty e^{-x}sx^{s-1}\mathrm{d}x = s\int_0^\infty e^{-x}x^{s-1}\mathrm{d}x$$
$$= s\Gamma(s)$$

また,

$$\Gamma(1/2) = \int_0^\infty e^{-x}x^{-1/2}\mathrm{d}x = \sqrt{\pi}$$

である。これは, $x=t^2$ とおくと,

$$\Gamma(1/2) = 2\int_0^\infty e^{-t^2}\mathrm{d}t$$

という簡単な形に表される。

この積分は見かけは簡単だが, 実はそう簡単には求まらない。この右辺に出てくる関数を少し変えた,

$$f(t) = \frac{1}{\sqrt{2\pi}}e^{-t^2/2}$$

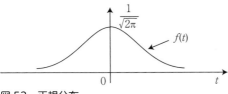

図 53　正規分布

は統計で出てくる正規分布の密度関数である。正規分布の表はすでにできており, この積分をいちいち計算しなくても確率が求まるが, この関数の積分を見ておくのも無駄ではあるまい。これは重積分を用いて計算される。この積分を最初に計算したのは 18 世紀のフランスのラプラスであり, 彼の『確率の解析的理論』という本に出てくる。その方法はこれから述べる現代の方法に近かった。

$$I = \int_0^\infty e^{-x^2}\mathrm{d}x$$

を求めるのに，

$$I^2 = \int_0^\infty e^{-x^2}\mathrm{d}x \cdot \int_0^\infty e^{-x^2}\mathrm{d}x$$

を考えて，次のような工夫をする。前の積分は後の積分には関係がないので，後の変数を y とする。

$$I^2 = \int_0^\infty e^{-x^2}\mathrm{d}x \cdot \int_0^\infty e^{-y^2}\mathrm{d}y$$

実は，$f(x)=e^{-x^2}$，$g(y)=e^{-y^2}$ とおくと，どちらも $[0,\infty)$ で連続な関数でお互いに関係がないので，$\Omega=[0,\infty)\times[0,\infty)$ の領域では，次のことが成り立つ。

$$\iint_\Omega f(x)g(y)\mathrm{d}x\mathrm{d}y = \int_0^\infty f(x)\mathrm{d}x \int_0^\infty g(y)\mathrm{d}y$$

こうして，

$$\iint_\Omega e^{-x^2}e^{-y^2}\mathrm{d}x\mathrm{d}y = \iint_\Omega e^{-x^2-y^2}\mathrm{d}x\mathrm{d}y$$

を積分すればよいことになる。

この積分は細かい議論を抜きにすれば，極座標表示を用いて第一象限 $D=\{(r,\theta)\,|\,0\leqq r,0\leqq\theta\leqq\pi/2\}$ での積分を考えればよい。

$$
\begin{aligned}
I^2 &= \iint_D e^{-x^2}e^{-y^2}\mathrm{d}x\mathrm{d}y \\
&= \iint_D e^{-r^2}r\mathrm{d}r\mathrm{d}\theta \\
&= \int_0^{\frac{\pi}{2}}\left(\int_0^\infty e^{-r^2}r\mathrm{d}r\right)\mathrm{d}\theta \\
&= \pi/2[\,(-1/2)e^{-r^2}\,]_0^\infty \\
&= \pi/4
\end{aligned}
$$

こうして，$I = \sqrt{\pi}/2$，つまり，

$$\Gamma(1/2) = \sqrt{\pi}$$

となる。一方，定積分計算するときによく出てくる関数にオイラーのベータ関数とよばれるものがある。$p > 0, q > 0$ で，

$$B(p, q) = \int_0^1 x^{p-1}(1-x)^{q-1}\mathrm{d}x$$

となる。これとガンマ関数の間には次のような関係があることが知られている。

$$B(p, q) = \Gamma(p)\Gamma(q)/\Gamma(p+q)$$

　実は，ガンマ関数は別名オイラー積分とも呼ばれており，この公式もオイラーが導き出したものである。このような積分の性質は，17世紀イギリスのウォリスによって部分的に発見されていたが，体系的な展開をしたのはオイラーである。ベータ関数はオイラーの1世紀後にロシアの数学者チェビシェフによって一般化された。これらは統計や確率の密度関数としてたびたび登場する。$n!$ は $_nC_m$ と無関係ではないし，$_nC_m$ は確率と深い関係にあるのだから，それが発展した $\Gamma(s)$ や $B(p, q)$ が，統計や確率と密接な関係にあるというのは全く自然なことである。

　とうとう最後になったけど，数学の発見と成果は何世紀にもわたって発展していくものだ，ということがわかってもらえただろうか。数学は，いろいろな分野の分析の道具にもなるのだから，理解を深めれば文化と文明の双方を背負って歩く利器にもなるのである。

付録・ギリシャ文字一覧とその用例

古代ギリシャは学問の中心であり，なかでも数学（当時は幾何学を意味していた）は大きな位置を占めていた。しかし，数字を表す適当な位取り記数法を持たず，ギリシャ語のアルファベットを数字に用いたため計算が発達しなかった。現代では，ギリシャ文字は数学の記号として多く用いられている。下記は主に数学における汎用例を示したものである。

A, α	アルファ　2次方程式の根（解）などを表すのに用いられる。βとともに根と係数の関係に用いられる。それ以外に角度や複素数に使われる。数学ではないがα線とかα波というのがある。
B, β	ベータ　αと同じく2次方程式の根（解）や角度に使用される。オイラーの考えたベータ関数というのがある。αと同じくβ線とかβ波というのがある。
Γ, γ	ガンマ　階乗！の拡張のΓ関数。小文字のγはオイラーの定数を表す。オイラー定数$\gamma = 0.57721566\cdots = \lim_{n\to\infty}(1+1/2+1/3+\cdots+1/n-\ln n)$ また，γ線というのは有名である。
Δ, δ	デルタ　Δは微分演算であるラプラシアン$(\partial^2/\partial x^2+\partial^2/\partial y^2+\partial^2/\partial z^2)$を表す。増分$\Delta$や差分$\Delta$として使用される。$\delta$はディラックの超関数を表し，ディラックの$\delta$という。関数の連続性や収束のための数学的方法であるε-δ論法は多くの大学初年度の学生を悩ませた。

E, ε	イプシロン　ε-δ 論法，ε は誤差や小さいことを示すのに用いられる。また $+1$, -1 の符号を示すのにも ε が用いられる。
Z, ζ	ゼータ　リーマンの ζ 関数が有名。
H, η	イータ　変数として用いられる。
Θ, θ	シータ　角度を表す定番である。
I, ι	イオタ　小文字は i の上の点がないものだが，群などの単位元や恒等写像などに用いられる。
K, κ	カッパ　小文字 κ は，曲線の曲がり具合を示す曲率として用いられる。
Λ, λ	ラムダ　小文字 λ は行列の固有値に用いられる。
M, μ	ミュー　μ は統計の平均値や長さの単位ミクロン，測度論と呼ばれる積分に関する理論で測度（面積など）を表すのに用いられる。
N, ν	ニュー　あまり使われることはない。
Ξ, ξ	グザイ　変数として用いられる。
O, o	オミクロン　ランダウの記号といって，ラージ・オーは 0 へ近づく速さを示し，スモール・オーは無限に小さい程度を示す記号である。
Π, π	パイ　Π は積の省略記号。π は円周率。
P, ρ	ロー　ρ は密度，曲がり具合を示す円（曲率円）の半径，統計での相関係数などに用いられる。
Σ, σ	シグマ　Σ は和の省略記号。σ は統計の標準偏差，置換や測度論でのシグマ加法族などに用いられる。
T, τ	タウ　空間曲線は，曲がり具合とねじれ具合でコントロールされるが，そのねじれ具合を示すのに τ が用いられる。置換を表すのにも用いられる。

Y, υ	ウプシロン　使用されることが少ない。
Φ, ϕ	ファイ　角度や関数などに用いられる。空集合の記号。オイラー角などがある。
X, χ	カイ　統計における χ 二乗分布。指標と呼ばれる特殊な関数や多面体の点，辺，面の組み合わせから出てくるオイラー標数などに用いられる。
Ψ, ϕ	プサイ　関数や角度に用いられる。
Ω, ω	オメガ　Ω は確率空間を示すのに用いられる。ω は角速度，1 の三乗根 ($\omega^3=1$) に用いられる。

参考文献

数学史に関しては，主として下記の 1.〜5. を参照した。

1. **ボイヤー『数学の歴史』1, 2, 3, 4, 5　朝倉書店**
   その時代時代に活躍した人を中心に書かれていて読みやすい。

2. **グレイゼル『グレイゼルの数学史』Ⅰ，Ⅱ，Ⅲ　大竹出版**
   授業に使うために書かれた数学史で分野別になっており，わかりやすくて便利である。

3. **カジョリ『初等数学史』上，下　共立出版**
   古代，中世，近代と歴史区分をまとめた名著である。

4. **ベックマン『πの歴史』蒼樹書房**
   π に関することを歴史的に詳しく述べてある。
   数学記号に関しては下記も併せて参考にしたが，内容的には上記と重複する部分が多い。

5. **大矢真一・片野善一郎『数字と数学記号の歴史』裳華房**
   数学的内容に関しては，著者自身が何らかの書物やどこかで聞いた解説等から影響を受けていることは疑いのないことだが，いちいちそれを確認はできないので，そのような参考文献は割愛する。数学の記述は非常に似たものにならざるを得ないので，普通の微積分書や線形代数書に同じような内容を見出すであろうことをお断りしておきたい。

なお，内容確認の意味で，『岩波数学辞典』（岩波書店），『新数学事典』（大阪書籍）を参考にした。

（注）人名や書物名の邦訳は，著者や訳者によってまちまちである。人名については，上記の事辞典を参考にして，なるべくそれらに従ったが，上の二つの事辞典でも異同がある。書物名は，筆者が最初に出合った版の邦訳を用いてある。

さくいん

N.D.C.410　　254p　　18cm

ブルーバックス　B-2161

なっとくする数学記号
π、e、i から偏微分まで

2021年 2 月20日　　第 1 刷発行
2022年 7 月12日　　第 6 刷発行

著者　　　黒木哲徳 （くろぎ てつのり）
発行者　　鈴木章一
発行所　　株式会社講談社
　　　　　〒112-8001 東京都文京区音羽2-12-21
電話　　　出版　　03-5395-3524
　　　　　販売　　03-5395-4415
　　　　　業務　　03-5395-3615
印刷所　　（本文印刷）株式会社精興社
　　　　　（カバー表紙印刷）信毎書籍印刷株式会社
製本所　　株式会社国宝社

ISBN978-4-06-522550-9

発刊のことば

科学をあなたのポケットに

二十世紀最大の特色は、それが科学時代であるということです。科学は日に日に進歩を続け、止まるところを知りません。ひと昔前の夢物語もどんどん現実化しており、今やわれわれの生活のすべてが、科学によってゆり動かされているといっても過言ではないでしょう。

そのような背景を考えれば、学者や学生はもちろん、産業人も、セールスマンも、ジャーナリストも、家庭の主婦も、みんなが科学を知らなければ、時代の流れに逆らうことになるでしょう。

ブルーバックス発刊の意義と必然性はそこにあります。このシリーズは、読む人に科学的に物を考える習慣と、科学的に物を見る目を養っていただくことを最大の目標にしています。そのためには、単に原理や法則の解説に終始するのではなくて、政治や経済など、社会科学や人文科学にも関連させて、広い視野から問題を追究していきます。科学はむずかしいという先入観を改める表現と構成、それも類書にないブルーバックスの特色であると信じます。

一九六三年九月

野間省一